中國美術全集

陶瓷器 二

全國百佳圖書出版單位

時代出版傳媒股份有限公司

黃 山 書 社

目　　錄

瓷　器

商至戰國（公元前十六世紀至公元前二二一年）

西漢至南北朝（公元前二〇六年至公元五八九年）

隋唐五代十國（公元五八一年至公元九六〇年）

頁碼	名稱	時代	發現地	收藏地
317	青釉雙繫雞首壺	隋	浙江嵊州市	浙江省嵊州市文物管理委員會
318	青釉雞首壺	隋	江蘇連雲港市錦屏山	南京博物院
318	青釉雞首壺	隋	江蘇儀徵市	江蘇省揚州博物館
319	青釉象首壺	隋	江西新建縣	江西省博物館
319	青釉蹲猴壺	隋	山東泰安市舊縣村	山東省泰安市博物館
320	青釉雙繫瓶	隋	山東曲阜市	山東省博物館
320	青釉龍首盂	隋	湖南長沙市	湖南省博物館
321	青釉四繫罐	隋		故宮博物院
321	青釉貼花四繫罐	隋		故宮博物院
322	青釉八繫罐	隋	陝西西安市李靜訓墓	中國國家博物館
322	青釉辟雍硯	隋		江蘇省揚州博物館
323	青釉燭臺	隋		湖南省博物館
323	青釉舍利塔	隋	山東泰安市粥店鄉	山東省泰安市博物館
324	白釉貼花壺	隋	河南安陽市張盛墓	河南博物院
325	白釉雞首壺	隋	陝西西安市李靜訓墓	中國國家博物館
325	白釉雙龍柄聯腹瓶	隋		天津博物館
326	白釉象首壺	隋	河南安陽市張盛墓	河南博物院
326	白釉帶蓋唾壺	隋	陝西西安市郭家灘姬威墓	中國國家博物館
327	白釉罐	隋		故宮博物院
327	白釉束腰蓋罐	隋	陝西西安市郭家灘	中國國家博物館
328	白釉四環足盤	隋	河南安陽市張盛墓	河南博物院
328	白釉錢倉	隋	河南安陽市張盛墓	河南博物院
329	白釉圍棋盤	隋	河南安陽市張盛墓	河南博物院
329	青釉葫蘆尊	唐	河南陝縣	中國國家博物館
330	青釉瓜棱執壺	唐	浙江寧波市和義路遺址	浙江省寧波市博物館
330	青釉瓜棱執壺	唐	浙江奉化市	浙江省寧波市博物館
331	青釉鳳首龍柄壺	唐		故宮博物院
332	青釉四繫壺	唐		上海博物館
332	青釉雙繫蓋罐	唐		天津博物館
333	青釉墓志罐	唐	浙江餘姚市勝歸山東麓	浙江省餘姚市文物管理委員會
333	青釉墓志罐	唐	浙江餘姚市周家岙	浙江省餘姚市文物管理委員會
334	青釉長頸瓶	唐		故宮博物院
334	青釉八棱瓶	唐		故宮博物院
335	青釉雙龍耳瓶	唐		中國國家博物館

頁碼	名稱	時代	發現地	收藏地
336	青釉盤龍罌	唐	浙江上虞市	浙江省上虞市文物管理委員會
337	青釉蟠龍罌	唐	浙江慈溪市鳴鶴鄉瓦窯頭村	浙江省慈溪市文物管理委員會
337	青釉褐彩如意雲紋罌	唐	浙江臨安市水邱氏墓	浙江省臨安市文物管理委員會
338	青釉褐彩如意雲紋鏤孔熏爐	唐	浙江臨安市水邱氏墓	浙江省臨安市文物管理委員會
339	青釉海棠式碗	唐		上海博物館
339	青釉花口碗	唐	浙江臨安市水邱氏墓	浙江省臨安市文物管理委員會
340	青釉刻花盤	唐	江蘇揚州市邗江區霍橋鄉	江蘇省揚州博物館
340	青釉多足硯	唐	陝西西安市長安區	陝西歷史博物館
341	秘色瓷曲口圈足碗	唐	陝西扶風縣法門寺	陝西省法門寺博物館
341	秘色瓷曲口深腹盤	唐	陝西扶風縣法門寺	陝西省法門寺博物館
342	秘色瓷八棱净水瓶	唐	陝西扶風縣法門寺	陝西省法門寺博物館
342	白釉執壺	唐	江蘇揚州市東風磚瓦廠	江蘇省揚州博物館
343	白釉執壺	唐		天津博物館
343	白釉執壺	唐		廣東省博物館
344	白釉花口執壺	唐		故宮博物院
344	白釉瓜棱形執壺	唐	浙江臨安市水邱氏墓	浙江省臨安市文物管理委員會
345	白釉人頭柄壺	唐	山西太原市石莊頭村	山西博物院
345	白釉穿帶壺	唐		上海博物館
346	白釉馬蹬壺	唐	陝西西安市沙坡	陝西省西安市文物保護考古所
347	白釉皮囊壺	唐		故宮博物院
347	白釉唾壺	唐		故宮博物院
348	白釉帶蓋唾壺	唐		故宮博物院
348	白釉罐	唐	陝西西安市大明宮遺址	陝西省西安市文物保護考古所
349	白釉軍持	唐		江蘇省常州博物館
349	白釉長頸瓶	唐	河南陝縣	中國國家博物館
350	白釉雙魚瓶	唐	河北井陘縣	河北省博物館
350	白釉碗	唐	河北邢臺市唐墓	故宮博物院
351	白釉葵瓣碗	唐		故宮博物院
351	白釉鉢	唐		故宮博物院
352	白釉葵口盤	唐	陝西西安市火燒壁	陝西歷史博物館
352	白釉菱花口盤	唐	浙江臨安市明堂山錢寬墓	浙江省博物館
353	白釉三足盤	唐		故宮博物院
353	白釉連托把杯	唐	浙江臨安市水邱氏墓	浙江省臨安市文物管理委員會
354	白釉海棠式杯	唐	浙江臨安市水邱氏墓	浙江省臨安市文物管理委員會

遼北宋西夏金南宋（公元九一六年至公元一二七九年）

頁碼	名稱	時代	發現地	收藏地
405	汝窑青釉盤	北宋		故宮博物院
406	汝窑青釉盤	北宋		上海博物館
407	汝窑青釉碗	北宋		故宮博物院
407	汝窑青釉洗	北宋		中國國家博物館
408	鈞窑月白釉出戟尊	北宋		上海博物館
409	鈞窑靛青釉尊	北宋		中國國家博物館
409	鈞窑玫瑰紫釉尊	北宋		故宮博物院
410	鈞窑玫瑰紫釉葵花形花盆	北宋		故宮博物院
411	鈞窑玫瑰紫釉海棠式花盆	北宋		中國國家博物館
411	鈞窑天藍釉六方花盆	北宋		故宮博物院
412	鈞窑天藍釉仰鐘花盆	北宋		故宮博物院
412	鈞窑紫斑釉六角洗	北宋		廣東民間工藝博物館
413	鈞窑月白釉鼓釘洗	北宋		故宮博物院
413	鈞窑玫瑰紫釉鼓釘洗	北宋		故宮博物院
414	鈞窑玫瑰紫釉蓮瓣洗	北宋		故宮博物院
415	定窑白釉龍首蓮紋净瓶	北宋	河北定州市净衆院	河北省定州市博物館
416	定窑白釉刻花净瓶	北宋	河北定州市静志寺	河北省定州市博物館
416	定窑白釉劃花直頸瓶	北宋		故宮博物院
417	定窑白釉蓮瓣紋長頸瓶	北宋	河北定州市净衆院	河北省定州市博物館
418	定窑白釉刻花梅瓶	北宋		故宮博物院
418	定窑白釉刻花梅瓶	北宋		故宮博物院
419	定窑白釉童子誦經壺	北宋	北京順義區	首都博物館
420	定窑白釉提梁壺	北宋	北京宣武區先農壇	首都博物館
420	定窑白釉蓮紋碗	北宋	河北定州市静志寺	河北省定州市博物館
421	定窑白釉刻花折腰碗	北宋		故宮博物院
421	定窑白釉刻花大碗	北宋		故宮博物院
422	定窑白釉蓋罐	北宋	北京順義區	首都博物館
422	定窑白釉弦紋蓋罐	北宋	河北定州市净衆院	河北省定州市博物館
423	定窑白釉印花方碟	北宋	北京密雲縣	首都博物館
423	定窑白釉花式口高足盤	北宋	河北定州市静志寺	河北省定州市博物館
424	定窑白釉托盞	北宋		故宮博物院
424	定窑白釉弦紋尊	北宋		天津博物館
425	定窑白釉雙耳貼像爐	北宋	河北定州市静志寺	河北省定州市博物館
425	定窑白釉爐	北宋	北京豐臺區遼王澤墓	首都博物館

頁碼	名稱	時代	發現地	收藏地
426	定窰白釉五獸足薰爐	北宋	河北定州市静志寺	河北省定州市博物館
427	定窰白釉劃花渣斗	北宋		故宮博物院
427	定窰白釉鏤雕殿宇人物枕	北宋		上海博物館
428	定窰白釉孩兒枕	北宋		故宮博物院
428	定窰白釉劃花水波紋海螺	北宋	河北定州市静志寺	河北省定州市博物館
429	定窰白釉褐彩牡丹紋瓶	北宋		日本大阪市立東洋陶瓷美術館
429	定窰剔花填褐彩水波紋枕	北宋		天津博物館
430	定窰醬釉蓋缸	北宋		首都博物館
430	定窰醬釉盞托	北宋		故宮博物院
431	耀州窰青釉刻花葡萄紋瓶	北宋	陝西銅川市耀州窰遺址	陝西省考古研究院
431	耀州窰青釉刻花牡丹紋瓶	北宋		中國國家博物館
432	耀州窰青釉刻花牡丹紋瓶	北宋		故宮博物院
432	耀州窰青釉刻花牡丹紋瓶	北宋		日本大阪市立東洋陶瓷美術館
433	耀州窰青釉刻花瓜棱紋瓶	北宋		山西省大同市博物館
433	耀州窰青釉刻花牡丹紋長頸瓶	北宋	甘肅華池縣李良子	甘肅省慶陽市博物館
434	耀州窰青釉刻花雙耳瓶	北宋		故宮博物院
434	耀州窰青釉堆螭龍刻花瓷瓶	北宋		南京博物院
435	耀州窰青釉堆塑龍紋瓶	北宋	陝西彬縣	陝西歷史博物館
435	耀州窰青釉刻花牡丹紋瓶	北宋		上海博物館
436	耀州窰青釉印花菊花紋碗	北宋		故宮博物院
437	耀州窰青釉刻花雲鶴紋碗	北宋		首都博物館
437	耀州窰青釉刻花牡丹紋碗	北宋		甘肅省環縣博物館
438	耀州窰青釉刻花嬰戲紋碗	北宋		故宮博物院
438	耀州窰青釉印花奔鹿紋碗	北宋		甘肅省博物館
439	耀州窰青釉刻花蓮花紋盤	北宋		故宮博物院
439	耀州窰青釉刻花獅形流執壺	北宋	甘肅成縣紅川鄉	甘肅省成縣博物館
440	耀州窰青釉刻花牡丹紋執壺	北宋	傳朝鮮半島	日本東京國立博物館
441	耀州窰青釉提梁倒裝壺	北宋	陝西彬縣	陝西歷史博物館
442	耀州窰青釉刻花五足爐	北宋		甘肅省博物館
442	耀州窰青釉刻花牡丹紋尊	北宋	陝西銅川市耀州窰遺址	陝西省耀州窰博物館
443	耀州窰青釉刻花鳳草紋枕	北宋		日本東京静嘉堂文庫美術館
443	耀州窰青釉印花多子盒	北宋	甘肅華池縣李良子	甘肅省慶陽市博物館
444	耀州窰青釉人形執壺	北宋		故宮博物院
444	磁州窰白地黑花梅瓶	北宋		故宮博物院

頁碼	名稱	時代	發現地	收藏地
445	磁州窰白釉黑花梅瓶	北宋	河南鎮平縣	河南博物院
446	磁州窰白釉黑花龍紋瓶	北宋		日本神户白鶴美術館
446	磁州窰白地黑花梅瓶	北宋		故宫博物院
447	磁州窰綠釉黑花梅瓶	北宋		故宫博物院
447	磁州窰綠釉黑花魚紋瓶	北宋		故宫博物院
448	磁州窰綠釉黑花牡丹紋瓶	北宋		日本大阪市立東洋陶瓷美術館
449	磁州窰白釉黑花鏡盒	北宋		南京博物院
449	磁州窰白地黑花孩兒垂釣紋枕	北宋	河北邢臺市曹演莊	河北省博物館
450	磁州窰白地黑花獅紋枕	北宋		故宫博物院
450	磁州窰白地黑花虎紋枕	北宋		故宫博物院
451	磁州窰白地剔粉填黑花牡丹紋枕	北宋		故宫博物院
451	磁州窰白地黑花花卉紋枕	北宋		故宫博物院
452	磁州窰白地黑花人物故事紋枕	北宋		故宫博物院
452	磁州窰珍珠地劃花枕	北宋		首都博物館
453	磁州窰蓮花紋如意形枕	北宋		上海博物館
454	磁州窰白地黑花如意形枕	北宋		廣東省廣州南越王墓博物館
454	磁州窰刻花如意形枕	北宋		遼寧省旅順博物館
455	磁州窰刻花如意形枕	北宋		首都博物館
456	當陽峪窰白地剔花牡丹紋罐	北宋		故宫博物院
456	當陽峪窰白釉刻花罐	北宋		故宫博物院
457	當陽峪窰剔花牡丹紋梅瓶	北宋	河南湯陰縣	河南博物院
458	當陽峪窰剔花花葉紋瓶	北宋		故宫博物院
458	當陽峪窰絞胎小罐	北宋		故宫博物院
459	扒村窰白地黑花花卉紋盆	北宋		故宫博物院
460	扒村窰臥童詩句枕	北宋		上海博物館
460	鈞窰天藍釉三足爐	北宋	河南禹州市黄莊	河南博物院
461	鈞窰月白釉紫斑蓮花形碗	北宋		故宫博物院
461	鈞窰月白釉碗	北宋	河南禹州市黄莊窖藏	河南博物院
462	鈞窰天藍釉蓮花式注碗	北宋	遼寧建平縣三家子鄉	遼寧省博物館
462	鈞窰天藍釉紫紅斑罐	北宋		上海博物館
463	鈞窰天藍釉紫斑瓶	北宋	山東淄博市臨淄區淄河店	山東省淄博市齊國故城遺址博物館
463	鈞窰天青釉梅瓶	北宋	遼寧建平縣三家子鄉	遼寧省博物館
464	汝窰天藍釉鵝頸瓶	北宋	河南寶豐縣清凉寺汝窰址	河南省文物考古研究所
464	臨汝窰青釉刻花蓮花紋碗	北宋		上海博物館

頁碼	名稱	時代	發現地	收藏地
465	登封窯珍珠地劃花雙虎紋瓶	北宋		故宮博物院
466	登封窯珍珠地劃花人物瓶	北宋		上海博物館
466	登封窯珍珠地劃花六管瓶	北宋		故宮博物院
467	登封窯白釉刻花水波紋缸	北宋		故宮博物院
467	登封窯白釉刻花牡丹紋枕	北宋		上海博物館
468	登封窯珍珠地劃化鹿紋枕	北宋		廣東省博物館
468	鞏縣窯黃釉絞胎印花如意形枕	北宋		廣東省廣州南越王墓博物館
469	越窯青綠釉糧罌瓶	北宋		浙江省武義縣文物管理委員會
469	越窯青釉八棱瓶	北宋	江蘇鎮江市烏龜山	江蘇省鎮江博物館
470	越窯青釉鏤孔香薰	北宋	浙江台州市黃岩區靈石寺	浙江省博物館
471	越窯青釉鏤孔香薰	北宋		江蘇省常州博物館
471	越窯青釉蟾形水盂	北宋		浙江省慈溪市博物館
472	越窯青釉蓮花形托盤	北宋	浙江上虞市浦閘總幹渠	浙江省上虞市文物管理委員會
472	越窯青釉刻花牡丹紋蓋盒	北宋	江蘇常州市勞動東路	江蘇省常州博物館
473	龍泉窯灰白釉盤口雙繫長頸瓶	北宋	浙江龍泉市榮豐鄉墩頭村	浙江省龍泉市博物館
473	龍泉窯青釉刻花帶蓋五管瓶	北宋		廣東省博物館
474	龍泉窯青釉四管瓶	北宋		北京大學賽克勒考古與藝術博物館
474	龍泉窯青釉五管瓶	北宋	浙江龍泉市塔石鄉北宋墓	浙江省龍泉市博物館
475	龍泉窯青釉五管瓶	北宋	浙江龍泉市榮豐鄉墩頭村	浙江省龍泉市博物館
475	青釉執壺	北宋	浙江上虞市謝橋挖河	浙江省上虞市文物管理委員會
476	青釉蓋罐	北宋	浙江義烏市	浙江省義烏市博物館
476	青釉刻花粉盒	北宋	浙江海寧市硤石東山宋墓	浙江省海寧市博物館
477	青白釉刻花玉壺春瓶	北宋		江西省高安市博物館
478	青白釉劃花瓶	北宋		故宮博物院
478	青白釉瓜棱執壺	北宋		首都博物館
479	青白釉瓜形執注	北宋	江西樂平市	江西省樂平市博物館
480	青白釉注壺溫碗	北宋	安徽宿松縣北宋墓	安徽省博物館
480	青白釉印花執壺	北宋	遼寧法庫縣葉茂臺遼墓	遼寧省博物館
481	青白釉托盞	北宋	江西南昌市	江西省博物館
481	青白釉暗花渣斗	北宋	江蘇常州市宋墓	江蘇省常州博物館
482	景德鎮窯青白釉鏤孔香薰	北宋		江蘇省揚州博物館
482	景德鎮窯青白釉雙獅枕	北宋		故宮博物院
483	白釉六管瓶	北宋		上海博物館
484	白釉鏤孔薰爐	北宋	山西太原市金勝村	山西博物院

頁碼	名稱	時代	發現地	收藏地
484	灰白釉盤口雙繫長頸瓶	北宋	浙江龍泉市	浙江省龍泉市博物館
485	白釉褐彩刻花六角枕	北宋		江蘇省揚州博物館
485	醬釉鷓鴣斑盞	北宋		北京大學賽克勒考古與藝術博物館
486	黑釉剔粉雕劃花扁壺	西夏	寧夏海原縣	寧夏博物館
487	褐釉剔花罐	西夏	內蒙古伊金霍洛旗納林塔	內蒙古博物院
487	黑釉剔花牡丹紋罐	西夏		甘肅省博物館
488	黑釉剔花牡丹紋罐	西夏	青海湟中縣白崖村	青海省湟中縣博物館
488	黑釉剔花牡丹紋六繫罐	西夏		甘肅省博物館
489	白釉剔花牡丹紋罐	西夏		甘肅省博物館
489	黑釉劃花罐	西夏	內蒙古伊金霍洛旗	內蒙古博物院
490	褐釉剔粉雕劃花紋瓶	西夏	內蒙古伊金霍洛旗紅慶鄉西夏窖藏	內蒙古自治區鄂爾多斯博物館
491	黑釉剔粉雕劃牡丹紋瓶	西夏		故宮博物院
491	定窯白釉瓜棱水注	金	北京海淀區南辛莊2號墓	北京市海淀區文物管理所
492	定窯白釉印花雲龍紋盤	金		上海博物館
493	定窯白釉劃花盤	金		故宮博物院
493	定窯白釉印花纏枝牡丹菊瓣盤	金	河北曲陽縣恒州鎮西河流	河北省曲陽縣文物管理所
494	定窯白釉剔花擎荷娃娃枕	金		廣東省廣州南越王墓博物館
495	定窯白釉印刻花赭彩枕	金		河北省定州市博物館
495	定窯醬釉印花碗	金	內蒙古奈曼旗白音昌	吉林省博物院
496	定窯褐釉劃花魚藻紋匜	金	吉林前郭爾羅斯蒙古族自治縣	吉林省博物院
496	定窯綠釉如意雲頭形枕	金	北京海淀區南辛莊2號墓	北京市海淀區文物管理所
497	耀州窯青釉印花三足爐	金	陝西藍田縣	陝西歷史博物館
498	耀州窯青釉印花纏枝蓮紋香爐	金	內蒙古林西縣	內蒙古博物院
498	耀州窯青釉鏨沿洗	金	北京通州區	首都博物館
499	耀州窯青釉荷葉形蓋罐	金		上海博物館
499	磁州窯白釉剔花罐	金	內蒙古喀喇沁旗	內蒙古自治區赤峰市博物館
500	磁州窯白釉黑花花口長頸瓶	金	河北磁縣觀臺磁州窯址	河北省磁縣文物保管所
501	磁州窯白釉黑花芍藥紋瓶	金	河北磁縣觀臺磁州窯址	河北省磁縣文物保管所
501	磁州窯白釉黑花牡丹紋瓶	金		上海博物館
502	磁州窯白釉黑花牡丹紋梅瓶	金	河北獻縣	河北省博物館
502	磁州窯白地黑花猴鹿紋瓶	金		故宮博物院
503	磁州窯白釉黑花綫剔龍紋盆	金	河北磁縣觀臺磁州窯址	河北省磁縣文物保管所
504	磁州窯褐彩嬰戲紋罐	金		天津博物館

頁碼	名稱	時代	發現地	收藏地
504	磁州窰白地褐彩人物紋枕	金		首都博物館
505	磁州窰白釉黑花相如題橋圖枕	金	河北磁縣南來村西港古墓	河北省磁縣文物保管所
505	磁州窰白釉黑花神仙故事圖枕	金	河北邯鄲市	河北省邯鄲市博物館
506	磁州窰白釉黑花臥虎望月圖枕	金	河北磁縣觀臺鎮	河北省邯鄲市博物館
506	磁州窰白釉黑花海獸銜魚橢圓枕	金	河北大名縣	河北省邯鄲市文物保護研究所
507	磁州窰白釉剔化牡丹紋枕	金		山西博物院
507	磁州窰白釉褐彩臥童枕	金		廣東省民間工藝博物館
508	磁州窰白釉黑花虎形枕	金		上海博物館
508	磁州窰黃褐釉虎形枕	金		河北省博物館
509	磁州窰綠釉黑花牡丹紋瓶	金	河北磁縣觀臺磁州窰址	河北省磁縣文物保管所
509	鈞窰天藍釉板沿盤	金		天津博物館
510	鈞窰天藍釉紅斑碗	金		河北省博物館
510	鈞窰天藍釉八角龍首把杯	金		上海博物館
511	登封窰白釉珍珠地劃花四繫瓶	金		廣東省民間工藝博物館
511	白釉瓜棱壺	金	山西大同市徐龜墓	山西省大同市博物館
512	青釉葫蘆式執壺	金	北京豐臺區烏古倫元忠夫婦墓	首都博物館
513	青釉雕錢紋注壺	金		故宮博物院
513	青釉膽式瓶	金	北京懷柔區北房金墓	首都博物館
514	褐黃釉竹紋瓶	金		故宮博物院
514	黑釉紅褐色牡丹紋瓶	金		日本東京國立博物館
515	黑釉劃花玉壺春瓶	金		故宮博物院
515	黑釉剔花梅瓶	金		廣東省博物館
516	黑釉剔花小口瓶	金	山西天鎮縣	故宮博物院
516	黑釉刻花紋罐	金		山西省大同市博物館
517	黑釉刻花紋罐	金		山西博物院
517	黑釉胡人馴獅紋枕	金		首都博物館
518	官窰弦紋瓶	南宋		故宮博物院
519	官窰八棱瓶	南宋		日本大阪市立東洋陶瓷美術館
519	官窰瓜棱直口瓶	南宋		故宮博物院
520	官窰大瓶	南宋		故宮博物院
520	官窰貫耳扁瓶	南宋		故宮博物院
521	官窰貫耳瓶	南宋	上海青浦區任氏墓	上海博物館
521	官窰花口壺	南宋	浙江杭州市烏龜山南宋官窰窰址	浙江省杭州南宋官窰博物館
522	官窰葵瓣碗	南宋		故宮博物院

頁碼	名稱	時代	發現地	收藏地
522	官窰圓洗	南宋		故宮博物院
523	官窰龍紋洗	南宋		天津博物館
523	官窰折沿洗	南宋		故宮博物院
524	官窰菱花洗	南宋		故宮博物院
524	官窰雙耳爐	南宋	上海青浦區重固鎮	上海博物館
525	官窰方花盆	南宋		故宮博物院
525	官窰盞托	南宋		故宮博物院
526	哥窰弦紋瓶	南宋		故宮博物院
527	哥窰膽瓶	南宋		故宮博物院
527	哥窰貫耳長頸瓶	南宋		故宮博物院
528	哥窰貫耳八棱瓶	南宋		故宮博物院
528	哥窰貫耳八方扁瓶	南宋		故宮博物院
529	哥窰雙耳三足爐	南宋		故宮博物院
530	哥窰雙魚耳爐	南宋		中國國家博物館
530	哥窰葵瓣口碗	南宋		上海博物館
531	哥窰菱花洗	南宋		故宮博物院
532	哥窰五足洗	南宋		上海博物館
532	哥窰菊瓣盤	南宋		故宮博物院
533	龍泉窰貫耳瓶	南宋	四川遂寧市金魚村窖藏	四川省遂寧市博物館
533	龍泉窰貫耳瓶	南宋		故宮博物院
534	龍泉窰穿帶瓶	南宋		故宮博物院
534	龍泉窰長頸瓶	南宋	浙江松陽縣古市	浙江省龍泉市博物館
535	龍泉窰長頸瓶	南宋	浙江德清縣乾元山東坡北吳奧墓	浙江省德清縣博物館
535	龍泉窰青釉直頸瓶	南宋	浙江龍泉市城南區查田鄉溪口窰址	浙江省龍泉市博物館
536	龍泉窰鳳首耳瓶	南宋	浙江杭州市古蕩	浙江省杭州市文物研究所
537	龍泉窰瓶	南宋		浙江省武義縣文物管理委員會
537	龍泉窰七弦瓶	南宋		故宮博物院
538	龍泉窰牡丹紋環耳瓶	南宋		日本東京出光美術館
538	龍泉窰海棠式瓶	南宋	四川遂寧市金魚村窖藏	四川省遂寧市博物館
539	龍泉窰刻花雙繫瓶	南宋		故宮博物院
539	龍泉窰琮式瓶	南宋	四川遂寧市金魚村窖藏	四川省遂寧市博物館
540	龍泉窰瓜棱水注	南宋	浙江龍泉市竹墻鄉揚抗村	浙江省龍泉市博物館
541	龍泉窰瓜棱小壺	南宋		浙江省龍泉市博物館
541	龍泉窰鼓釘三足洗	南宋		故宮博物院

瓷器

原始青瓷尊

商

河南鄭州市人民公園出土。

高25.6、口徑21.4厘米。

灰白色高嶺土胎，內壁施淡黃釉。

現藏河南博物院。

原始青瓷弦紋大口尊

商

高18、口徑19.6厘米。

器表施青釉，飾弦紋。

現藏上海博物館。

原始青瓷豆

商

山東青州市蘇埠屯出土。
高7.7、口徑12.4厘米。
頸肩部刻劃弦紋。通體施
青釉。
現藏山東省博物館。

原始青瓷豆

商

江西樟樹市山前鄉吳城遺址出土。
高13.3、口徑14.7、底徑9.9厘米。
壁與柄部飾弦紋，其他各部素面磨光。
現藏江西省博物館。

原始青瓷罐

西周

浙江德清縣三合鄉塔山土墩墓出土。
高15.3、口徑10.2、底徑20.1厘米。
通體布滿蟠螭紋組成的并列的橫帶條。
現藏浙江省德清縣博物館。

原始青瓷雙繫罐

西周

江蘇高淳縣出土。
高17.5、口徑13.8、底徑16厘米。
肩部有兩個對稱繫耳。通體布滿密
集有序的蟠螭紋樣帶條。
現藏江蘇省鎮江博物館。

原始青瓷蓋罐

西周
江蘇金壇市出土。
高28.5、腹徑25.5、底徑14.5厘米。
肩部有兩個繫耳，口上覆有圓鼓頂鳥形握手器蓋。器表
滿飾斜方格紋。
現藏江蘇省鎮江博物館。

原始青瓷尊

西周

安徽黃山市屯溪出土。

高17.7、口徑17厘米。

釉色薑黃。器身刻劃網格紋、斜波綫紋和弦紋。

現藏中國國家博物館。

原始青瓷單柄壺

西周

安徽黃山市屯溪出土。

高13.6、口徑5.6厘米。

短頸，鼓腹，頸肩部有一曲柄，通體密布弦紋。

現藏中國國家博物館。

商至戰國（公元前十六世紀至公元前二二一年）

[瓷 器]

原始青瓷劃水波紋雙繫罐

西周
河南洛陽市出土。
高13.2、口徑8.4厘米。
釉呈米黃色。斂口，肩有
雙繫，腹頸有折棱。肩飾
水波紋及弦紋。
現藏故宮博物院。

原始青瓷四繫罐

西周
山東濟陽縣姜集鄉劉臺子村6號墓出土。
高18.7厘米。
肩有四繫。頸部飾弦紋。
現藏山東省文物考古研究所。

22222

111

111

原始青瓷四繫弦紋壺

西周

北京房山區琉璃河黃土坡出土。

高20.9、口徑13.5厘米。

壺肩部左右各有兩個相對的繫耳，并飾雙綫劃紋數周。

現藏首都博物館。

原始青瓷瓿

春秋

浙江杭州市蕭山區長河鎮塘子堰村出土。

高18、口徑16.7、底徑13.2厘米。

肩部有兩個套環繫耳。肩部飾竪綫紋、錐刺紋和弦紋。

現藏浙江省杭州市蕭山區文物管理委員會。

原始青瓷印紋筒形罐

春秋

浙江龍游縣溪口鎮出土。

高31.3、口徑22.5、底徑19.7厘米。

通體滿飾蟠螭紋樣帶條。

現藏浙江省衢州市博物館。

原始青瓷罐

春秋

江蘇江陰市周莊出土。

高17.1、口徑13.5厘米。

胎堅質細，通體施黃色釉。

現藏江蘇省常州博物館。

原始青瓷鼎

春秋
江蘇常州市武進區淹城千家墩出土。
高12厘米。
通體施青釉，器內有弦紋。
現藏江蘇省常州市武進區淹城博物館。

原始青瓷簋

春秋
江蘇常州市武進區淹城出土。
高12厘米。
胎質細膩，除器底外均施青灰色釉，
耳側飾"S"形堆紋各一。
現藏江蘇省常州博物館。

原始青瓷虎形器
春秋
安徽黃山市屯溪區出土。
高23.5厘米。
灰白胎，淡黃色釉。虎首爲流，口、腹、
底均呈橢圓形，虎背爲一獸形提梁。器身刻
劃方折紋。
現藏安徽省博物館。

原始青瓷刻紋筒形罐
春秋
浙江德清縣出土。
高27、口徑19.5厘米。
仿青銅器而作，釉層薄而透明。
現藏故宮博物院。

原始青瓷甗

戰國

高16.5厘米。

明器。釉呈青黃色，釉層不均勻。上部爲直口碗形，
飾三道弦紋，底鏤一不規則大孔。下部鼎形，口內沿
貼兩耳。

現藏浙江省杭州市餘杭區文物管理委員會。

原始青瓷 "S" 形堆紋罐

戰國

浙江紹興縣南池鄉上謝墅村出土。
高14.4、口徑11、底徑14.1厘米。
肩部兩側有兩個對稱 "S" 形堆紋。
現藏浙江省紹興縣文物保護管理所。

原始青瓷鑒

戰國

浙江武義縣武陽鎮出土。
高23.2、口徑44.7厘米。
兩側各塑一獸以及一環耳。口沿、頸、腹和獸身滿飾豎
排曲折紋。
現藏浙江省武義縣博物館。

原始青瓷龍梁壺

戰國

浙江紹興市出土。

高18厘米。

扁圓腹，有蓋及獸首流，三蹄足，提梁爲龍身。

現藏中國國家博物館。

原始青瓷龍梁壺

戰國

浙江紹興縣上蔣鄉出土。

高21.3、口徑8.4厘米。

壺有平頂直壁帶鈕蓋，肩部有龍首
形管狀流，底有三蹄形足。壺肩
上置龍體提梁。肩部與腹部上部由
"S"形紋和弦紋組成兩周帶條紋。

現藏浙江省紹興縣文物保護管理所。

原始青瓷龍梁壺

戰國

浙江紹興縣灘渚戰國墓出土。

高17、口徑4.1厘米。

三蹄形足，拱形提梁爲龍身，腹部布滿密集的
錐刺紋。

現藏浙江省博物館。

青釉獸首鼎

戰國

高14.9、腹徑13.8厘米。

大敞口，扁圓腹，獸首爲流，三蹄形足，頸部爲刻
劃斜紋，下腹部滿飾蟠螭紋。

現藏上海博物館。

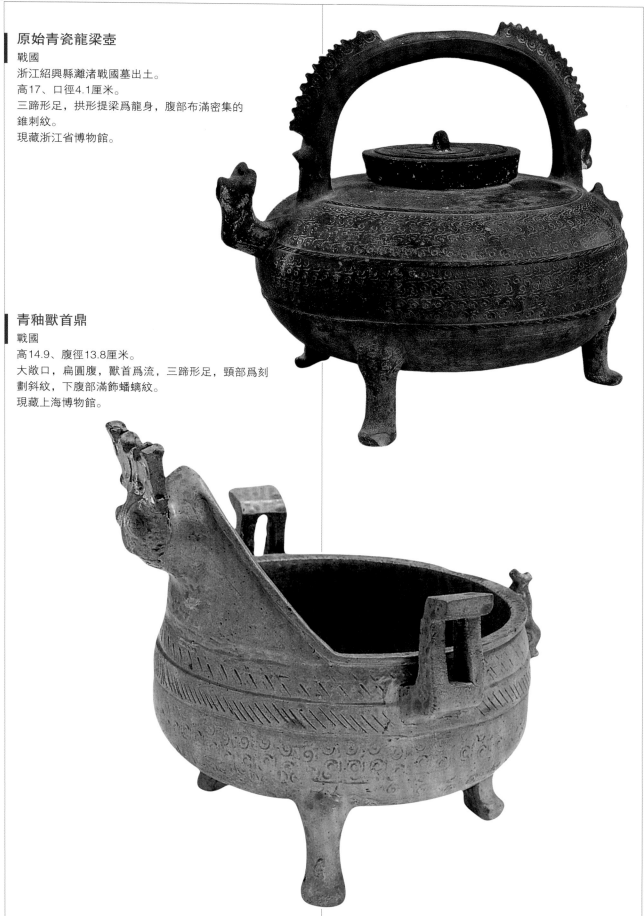

青釉條紋雙繫罐
戰國
高18.1、口徑17厘米。
扁圓腹，平底，肩上附兩小繫。施青黃
色釉。
現藏上海博物館。

青釉弦紋單柄杯
戰國
高11.2、口徑4.4厘米。
施青黃色薄釉，遍施細弦
紋，方稜曲柄上端外凸。
現藏上海博物館。

商至戰國（公元前十六世紀至公元前二二一年）

青釉獸面三足洗

戰國

浙江紹興縣福泉鄉磚瓦廠出土。

高9.5、口徑22.6厘米。

三個矮獸蹄形足，頸部飾弦紋一周，腹部飾弦紋兩周。

現藏浙江省紹興縣文物保護管理所。

青釉甬鐘

戰國

浙江寧波市鎮海出土。

高33、銑寬13.9厘米。

中空，截面呈合瓦形，篆部飾雲雷紋，枚篆交接和鉦邊沿飾乳丁紋，隧部飾 "S" 形紋。

現藏浙江省博物館。

青釉錞于
戰國
高32.2厘米。
釉色青中泛黄，素面，仿青銅樂器所製。
現藏上海博物館。

青釉鐘
戰國
高14.4厘米。
施青黄色薄釉，仿青銅器工藝規格所製。
現藏上海博物館。

青釉敞口壺

西漢

浙江金華市城郊東關出土。

高35.3、口徑13、底徑13.4厘米。

肩附雙耳，頸肩飾弦紋。

現藏浙江省金華市文物管理委員會。

青釉雙繫敞口壺

西漢

浙江龍游縣東華山出土。

高33.7、口徑13.6、底徑13厘米。

頸肩交接處刻劃一周水波紋，雙耳上部堆貼"S"形紋。

現藏浙江省衢州市博物館。

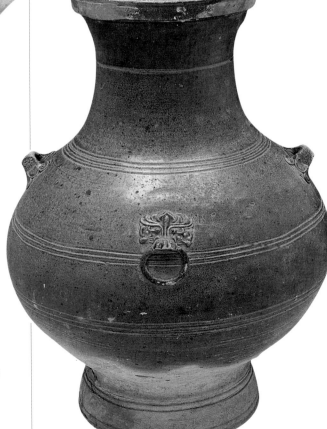

青釉雙繫鍾

西漢

江西南昌市老福山出土。

高44.7厘米。

蓋面飾三圈錐刺紋，以弦紋相隔。頸、肩、腹、足飾弦紋。施黃綠色釉，釉不及底。

現藏江西省博物館。

青釉水波紋獸耳瓿

西漢

江蘇徐州市漢墓出土。

高32厘米。

底下部有三個扁平的短足，肩兩
側有對稱的繫耳，肩至腹部凸起
弦紋三道，上刻劃水波紋裝飾。
現藏故宮博物院。

青釉劃花雙繫罐

西漢

高32.2、口徑12厘米。

施青釉，肩兩側置獸面紋套環雙
繫，其上平貼捲曲狀獸角，寬弦
紋間是多頭一體的飛鳥紋。
現藏故宮博物院。

青釉水波紋四繫罐

東漢

浙江上虞市百官鎮出土。
高19.7、口徑10.8厘米。
肩有四橫繫耳，肩飾水波紋。
現藏浙江省上虞市文物管理
委員會。

青釉劃花獸耳罐

東漢

高28.5、口徑8.4厘米。
通體施青釉，罐身飾凸弦紋
和刻劃花鳥紋。
現藏天津博物館。

青釉堆塑九聯罐
東漢
江蘇常州市王家塘出土。
高50.5、口徑6.5厘米。
胎質堅硬，下刻詭异的人面紋。
現藏江蘇省常州博物館。

西漢至南北朝（公元前二〇六年至公元五八九年）

青釉鍾

東漢

浙江紹興市出土。

高18、口徑11.6、底徑14.6厘米。

肩部有雙繫，上腹部呈現雙道弦紋。

現藏浙江省博物館。

青釉長頸瓶

東漢

高29.9、口徑3.5、底徑12.8厘米。

小口，大長頸，扁鼓腹，素面無紋。

現藏浙江省博物館。

西
漢
至
南
北
朝
（
公
元
前
二
〇
六
年
至
公
元
五
八
九
年
）

青釉扁壺

東漢

浙江杭州市餘杭區反山出土。

高28.5厘米。

通體施青黃釉，腹部刻同心弦紋五圈，弦紋間填劃
水波紋。

現藏浙江省杭州市餘杭區文物管理委員會。

青釉雙繫罐

三國

浙江海寧市三國墓出土。

高15.2、口徑10.5、底徑10.4厘米。

扁鼓腹，平底，肩部有雙繫。

現藏浙江省博物館。

青釉堆塑人物罐

三國

浙江武義縣出土。

高36.5厘米。

器身下部爲扁鼓腹的陶器，底座平整，上蓋爲一人物塑像，頸部塑有衆多人獸。

現藏上海博物館。

青釉褐彩壺

三國

江蘇南京市雨花臺區長崗村出土。

高32.1厘米。

壺通體用褐彩在胎上繪羽人、靈獸、仙草、雲氣等紋飾，并模貼佛像、鋪首和雙首聯體鳥形繫，其上罩青黄色釉。釉層部分剥落。是目前發現最早的釉下彩瓷器。現藏江蘇省南京市博物館。

青釉盤口壺

三國

江蘇南京市殷巷1號墓出土。
高22.5、口徑13.4、底徑14.8厘米。
肩部有三對繫耳，頸部凸現兩周水波紋。
現藏江蘇省南京市博物館。

青釉鷄首壺

三國

安徽馬鞍山市宋山東吳大墓出土。
高19.2厘米。
胎質灰白，青釉均勻。壺肩部劃弦紋。
現藏安徽省馬鞍山市博物館。

青釉卣形壺

三國

安徽馬鞍山市雨山區朱然墓出土。

高22.3、口徑11.4－10.3、底徑12.8厘米。

器身有四個獸形繫耳，飾聯珠紋、菱格紋、錐刺紋等。

現藏安徽省馬鞍山市博物館。

青釉扁壺

三國
江蘇金壇市出土。
高23.2厘米。
直頸，平口，扁圓腹。滿施半透明青釉，腹部圖案下有銘文。
現藏江蘇省鎮江博物館。

青釉盆

三國
江蘇南京市出土。
高12.5、口徑33.7厘米。
胎質堅硬，通體施青黃色釉，腹部飾網紋一周。
現藏中國國家博物館。

西漢至南北朝（公元前二〇六年至公元五八九年）

青釉三足洗

三國

浙江紹興縣嘉會出土。

高9.9、口徑23.6厘米。

斂口，寬唇，平底，腹下接獸頭形三足。

現藏浙江省紹興縣文物保護管理所。

青釉鳥形杯

三國

浙江上虞市百官鎮出土。

高3.8、口徑10厘米。

杯的前腹是一隻展翅收足的飛鳥，後部是上翹的鳥尾。

現藏浙江省上虞市文物管理委員會。

青釉蛙形水注

三國

浙江上虞市出土。

高10.2、口徑2.3厘米。

管狀盃口，蛙形腹，三底足。通體

施黄釉。

現藏浙江省博物館。

青釉蛙形水注

三國

湖北鄂州市石山鄉三國墓出土。

高5.7厘米。

灰白胎，通體施青綠釉，釉色瑩

潤。底部無釉。

現藏湖北省鄂州市博物館。

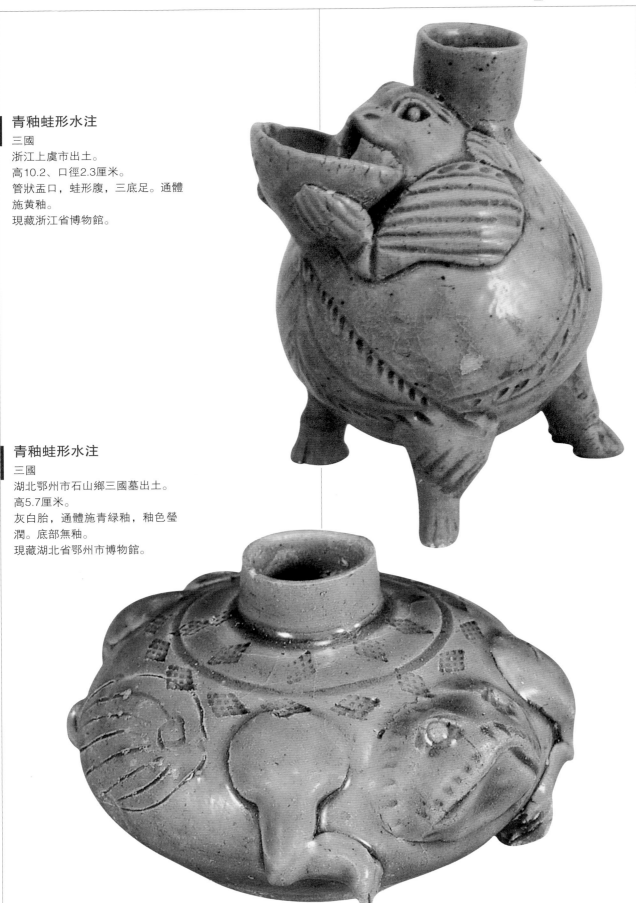

西漢至南北朝（公元前二〇六年至公元五八九年）

青釉熊形燈
三國
江蘇南京市清凉山出土。
高11.5厘米。
鉢形燈盞，熊仔燈柱，盤形底座。盤底劃行書
"甘露元年五月造"，甘露元年爲公元265年。
現藏中國國家博物館。

青釉人擎燈（右圖）
三國
湖北宜昌市出土。
高33.5、口徑10.6厘米。
施青綠色釉，柱體飾網紋和乳釘紋。
現藏湖北省博物館。

青釉羊形燭插

三國

江蘇南京市清凉山吳墓出土。

高23.4、長32厘米。

頭部的圓形空洞，用于插燭。

現藏中國國家博物館。

西漢至南北朝（公元前二〇六年至公元五八九年）

青釉羊形燭插

三國

安徽馬鞍山市雨山區朱然家族墓出土。

高21、長33.2厘米。

頭頂有一圓孔，用于插燭。

現藏安徽省馬鞍山市博物館。

青釉堆塑罐（右圖）

三國

浙江嵊州市浦口鎮三國吳墓出土。

高45、腹徑27厘米。

上層爲五聯罐，其間堆塑百鳥、人物、鴨、龜、蛇、狗、熊等動物。青釉不及底，胎顯火石紅色。

現藏浙江省嵊州市文物管理委員會。

青釉穀倉罐

三國

高33.5、口徑6.8、底徑13.3厘米。

器身上部塑衆多人獸紋飾。

現藏上海博物館。

青釉唾壺

西晉

高11.6、口徑8.1、腹徑12、圈足底徑7.6厘米。
頸部和腹部凸現弦紋、水波紋以及刻劃紋。
現藏江蘇省南京市博物館。

青釉唾壺

西晉

湖北鄂州市出土。
高14.8、口徑10.6厘米。
壺身繪有獸圖，腹部有雙弦紋。
現藏湖北省文物考古研究所。

青釉唾壺

西晉

高10.4、口徑8.6厘米。

壺腹部正背面各貼塑一獅形辟邪，兩側各貼塑一獸面紋，腹中部印網格紋一周，上部及中下部各有圓圈紋一周。

現藏上海博物館。

青釉扁壺

西晉

江蘇蘇州市楓橋獅子山西晉墓出土。

高25.8、口徑5.4厘米。

肩部有兩繫，穿帶後便于携帶。

現藏南京博物院。

青釉鷹形盤口壺

西晋

江蘇南京市板橋石閘戶墓出土。

高17.5、口徑10.5、底徑11厘米。

肩部有雙繫且頸部塑鳥頭。壺身現出弦紋、錐刺紋以及刻劃紋等。

現藏江蘇省南京市博物館。

青釉印紋四繫罐

西晋

高21、口徑19.7厘米。

肩兩側各置并列雙繫。飾弦紋、圈紋和菱格紋。

現藏故宮博物院。

青釉鷄首四繫罐

西晋

安徽當塗縣城關鎮徵集。

高9.3、口徑5.8、底徑7.6厘米。

肩部塑有鷄首，飾有獸紋。

現藏安徽省馬鞍山市博物館。

西漢至南北朝（公元前二〇六年至公元五八九年）

青釉四繫盤口壺

西晉

浙江杭州市鋼鐵廠西晉墓出土。

高24.6、口徑14.5厘米。

頸部有四繫，且有四鋪首銜環紋及數周弦紋
和一圈小方格紋。

現藏浙江省博物館。

青釉印花鋪首洗

西晉

江蘇揚州市黃金壩晉墓出土。

高9.6、口徑32.8厘米。

器身飾斜方格紋、水波紋、聯珠紋和鋪首銜環紋。

現藏南京博物院。

青釉簋

西晉

江蘇南京市殷巷墓出土。

高11.7、口徑23.7、底徑12.8厘米。

腹部飾兩個對稱的獸環，且有一道印花紋。

現藏江蘇省南京市博物館。

青釉印紋卣

西晉

高23.7、口徑10.6厘米。

小折肩，肩部置四個獸首銜環繫。器身飾圈紋、三角紋和菱格紋。

現藏故宮博物院。

青釉神獸尊

西晋

江蘇宜興市周墓墩出土。

高27.9、口徑13.2厘米。

魚簍形。腹部塑神獸，鼓目，張口，含一寶珠，

兩側有翼狀刻劃紋。

現藏南京博物院。

青釉熊尊

西晋

江蘇南京市江寧區秣陵鄉出土。

高8.5厘米。

熊的造型呈跪伏狀，神態威武。全身凸現刻劃紋、
獸狀紋等。

現藏南京博物院。

青釉杯盤

西晋

高3、口徑16.2厘米。

盤身闊口寬腹，内底部置放兩對稱杯子，内壁現雙弦紋。

現藏故宫博物院。

西漢至南北朝（公元前二〇六年至公元五八九年）

青釉虎子

西晋

浙江温州市彌來陀山西晋墓出土。

高10.8、長22厘米。

圓筒形口，四肢作蹲伏狀，兩側刻劃羽翼。

現藏浙江省温州市博物館。

青釉虎子

西晋

江蘇鎮江市丹徒區出土。

高16、長28厘米。

口部塑爲虎頭，四足作蹲伏狀，身兩側有羽翼。

現藏江蘇省鎮江博物館。

青釉四繫雙鳥蓋盂

西晉

江蘇南京市西崗出土。

高7.6厘米。

頸部有四繫，蓋上塑有雙鳥。頸部有兩道弦紋，
腹部刻劃密集的方格紋。

現藏南京博物院。

青釉鏤孔香熏

西晉

江蘇宜興市周墓墩出土。

高19.5、盤徑17.5厘米。

器身上部呈圓球形，頂部立一隻小鳥，腹部
自上而下有三組三角形鏤孔。熏托呈淺盤
形，下部爲矮蹄足。

現藏中國國家博物館。

西漢至南北朝（公元前二○六年至公元五八九年）

青釉香熏

西晋

浙江嵊州市城關鎮剡山西晋墓出土。

高18厘米。

香熏呈圓球形，頂部立小鳥，腹部有三組三角形鏤孔，
內緣呈梯形，熏托呈淺盤形，平底下有三個矮蹄足。

現藏浙江省嵊州市文物管理委員會。

青釉燈

西晉

江蘇南京市丁墻村出土。

通高15.5厘米，燈盞高3.5、口徑9.9厘米，承柱高10.5、直徑5.8厘米，承盤高2、口徑15.5、底徑11.2厘米。

燈盞爲盤形，外壁刻劃弦紋。承柱上飾獸紋，承盤闊口平底。

現藏江蘇省南京市博物館。

青釉竈

西晉

高13.5厘米。

略似船形，前有火門，後有出烟孔，上置二釜一尊一勺。器表刻劃菱格綫紋。

現藏江蘇省蘇州博物館。

青釉胡人騎獸燭臺

西晉

山東臨沂市洗硯池街出土。

高27.1、長20.5厘米。

帽沿、臉部以及前胸衣服均爲刻劃紋，獸身
作匍匐狀，上刻錐刺紋和弦紋等圖案。

現藏山東省文物考古研究所。

青釉辟邪形燭插
西晉
高13.4、長19.9厘米。
辟邪背上有圓孔。
現藏上海博物館。

青釉羊形燭插
西晉
江蘇南京市西崗出土。
高19.7、長26厘米。
羊作昂首跪伏狀，身飾疏簡明而對稱的
綫條紋和捲毛紋，頭上有圓孔。
現藏南京博物院。

西漢至南北朝（公元前二〇六年至公元五八九年）

青釉褐彩帶蓋盤口壺
東晉
江蘇南京市象山王氏墓地出土。
高20.6厘米。
肩部二周弦紋之間飾一周聯珠紋，并附對稱的竪繫及鈕。
現藏江蘇省南京市博物館。

黑釉盤口壺
東晉
高24.9、口徑11.4厘米。
頸部飾二周凸弦紋，肩部有對稱橋形繫。
現藏上海博物館。

褐色點彩盤口壺
東晉
高22.2、口徑12.4、底徑10.4厘米。
肩部有八繫，上腹部飾褐色點彩并飾蓮花瓣紋。
現藏上海博物館。

青釉褐斑四繫壺
東晉
高17.9、口徑8.4厘米。
洗口，長頸，肩部有四繫，刻劃弦紋。
現藏故宮博物院。

西漢至南北朝（公元前二〇六年至公元五八九年）

青釉鷄首壺
東晉
江蘇南京市北固山出土。
高29、口徑13、底徑19.8厘米。
洗口，有一提梁，肩部有雙繫，塑有鷄首，飾二周弦紋。
現藏江蘇省南京市博物館。

龍柄鷄首壺
東晉
浙江紹興市出土。
高22.2、口徑9厘米。
柄上端塑龍頭，鷄頭尖嘴無孔，肩部飾雙弦紋和水波紋。
現藏浙江省紹興縣文物保護管理所。

青釉鷄首壺

東晋

浙江溫州市雨傘寺出土。

高19.5、口徑8.1、底徑11.2厘米。

肩部前側有一鷄首，後側爲柄，腹部施點紋。

現藏浙江省溫州市博物館。

褐色點彩鷄首壺

東晋

江蘇鎮江市跑馬山出土。

高18、腹徑16、口徑8.5厘米。

鷄首高昂，矮冠，橋形雙繫。

現藏江蘇省鎮江博物館。

西漢至南北朝（公元前二〇六年至公元五八九年）

黑釉鷄首壺

東晋

浙江杭州市老和山出土。

高22厘米。

盤口，頸部鷄首高昂，有提梁，鼓腹，平底。

現藏浙江省博物館。

青釉羊首壺

東晋

高23.8、口徑10.8厘米。

肩一側爲羊首形流，對側爲曲柄連于口沿，

兩邊有耳繫，施劃弦紋。

現藏故宮博物院。

青釉唾壺

東晉

江蘇南京市大樹城墓出土。

高9.9、口徑9.2、腹徑12.1、圈足底徑9.6厘米。

器身光滑，素面無紋。

現藏江蘇省南京市博物館。

黑釉唾壺

東晉

高10、口徑9.4厘米。

大敞口，高頸，圓鼓腹。素面無紋。

現藏故宮博物院。

青綠釉覆蓮紋六繫罐

東晉

四川成都市出土。

高21.5、口徑10.5厘米。

蓋和罐身各繞一周浮雕覆蓮，肩部有六繫耳。

現藏四川博物院。

青釉香熏（右圖）

東晋

浙江餘姚市出土。

高18.6厘米。

由上蓋和下蓋組成，熏香時，香味從蓋孔溢出。因上
蓋造型似傳說中的海中名山博山，亦稱博山爐。

現藏南京博物院。

青釉香熏

東晋

江蘇南京市老虎山出土。

高19厘米。

承托爲盤狀，高承柱，爐爲球形，爐身有三周三角形
的鏤孔。

現藏江蘇省南京市博物館。

黑釉薰爐

東晉

浙江杭州市老和山出土。

高15.6厘米。

底座爲托盤。爐身小口，爲球形，自上而下
爲四周鏤孔。

現藏浙江省博物館。

青釉褐彩蓋鉢

東晉

江蘇南京市象山王氏墓地出土。

高7.8厘米。

鼓腹，平底，蓋及鉢體飾冰裂紋。

現藏江蘇省南京市博物館。

青釉褐彩羊形水注
東晉
高23.5、長38厘米。
羊作跪伏狀，口部爲流，背部安一直筒。褐彩點飾雙目、尾和足。
現藏南京博物院。

青釉臥羊形燭插
東晉
江蘇南京市象山出土。
高12.4、長15厘米。
羊大角繞耳前捲，下頜有鬚，四短足蜷曲腹下。頭上有圓孔。
現藏江蘇省南京市博物館。

青釉羊形插器

東晋

江蘇南京市老虎山出土。

高15.2、長18厘米。

羊作臥伏狀，頭部雙角彎曲，繞過耳後向前捲起。頸呈柱形，前胸平坦作圓形，羊身作繭形，四足蜷曲，尾作蕉葉狀。背部有插孔。

現藏江蘇省南京市博物館。

青釉牛形燈

東晋

浙江溫州市雙嶼出土。

高13.4厘米。

燈柱作直立牛形，牛四肢上下相叠，柱頂端和末端後壁均有方孔，作插燈芯之用。

現藏浙江省博物館。

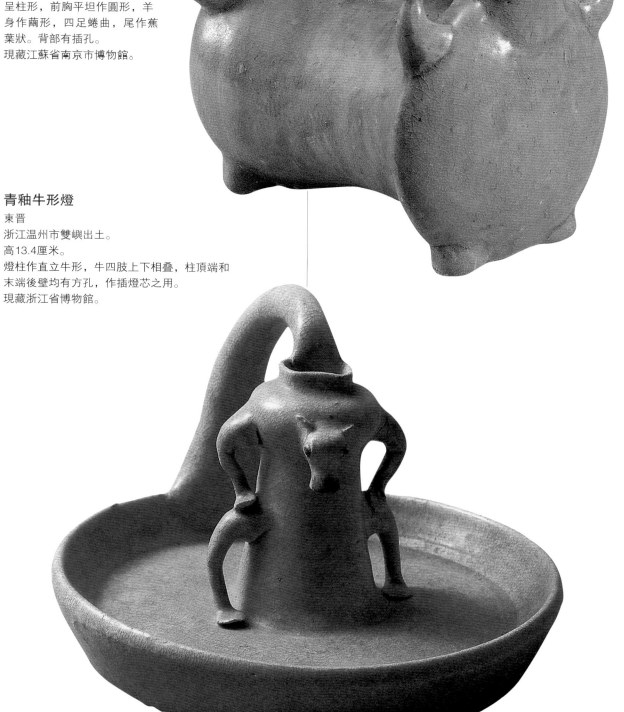

青釉堆塑罐

東晋

浙江杭州市蕭山區出土。

高40.5、口徑11.5厘米。

下部爲鼓腹平底的座形陶器，上部堆塑人獸、樓閣和
器物等。

現藏浙江省博物館。

青釉盤口壺

南朝

高30.3、口徑15、底徑11厘米。
肩部有雙耳四繫，上腹部現刻劃紋。
現藏浙江省博物館。

青釉雙耳盤口壺

南朝

福建福州市洪山橋出土。
高29.5、口徑11厘米。
肩部置對稱雙繫。
現藏福建博物院。

青釉六繫盤口瓶

南朝

安徽當塗縣護河鎮南朝墓出土。

高31、口徑15、底徑11厘米。

頸部飾凸弦紋，肩部有六個橋形繫。

現藏安徽省馬鞍山市博物館。

青釉龍柄鷄首壺

南朝

高27.6、口徑8.7厘米。

肩置鷄首流，對側安龍首曲柄，兩側爲對稱的橋形繫。

壺身飾蓮瓣紋。

現藏故宮博物院。

青釉蓮瓣紋鷄首壺

南朝

高24.7、口徑9.2厘米。

肩部置鷄首流，腹部刻劃蓮瓣紋。

現藏南京博物院。

青釉唾壺

南朝

浙江餘姚市丈亭鎮鳳陸村出土。

高17.8、口徑11.8、底徑13.2厘米。

肩部浮雕覆蓮瓣紋。

現藏浙江省餘姚市文物管理委員會。

青釉唾壺

南朝

浙江徵集。

高11、口徑10.7厘米。

釉面有冰裂紋。

現藏浙江省博物館。

西漢至南北朝（公元前二○六年至公元五八九年）

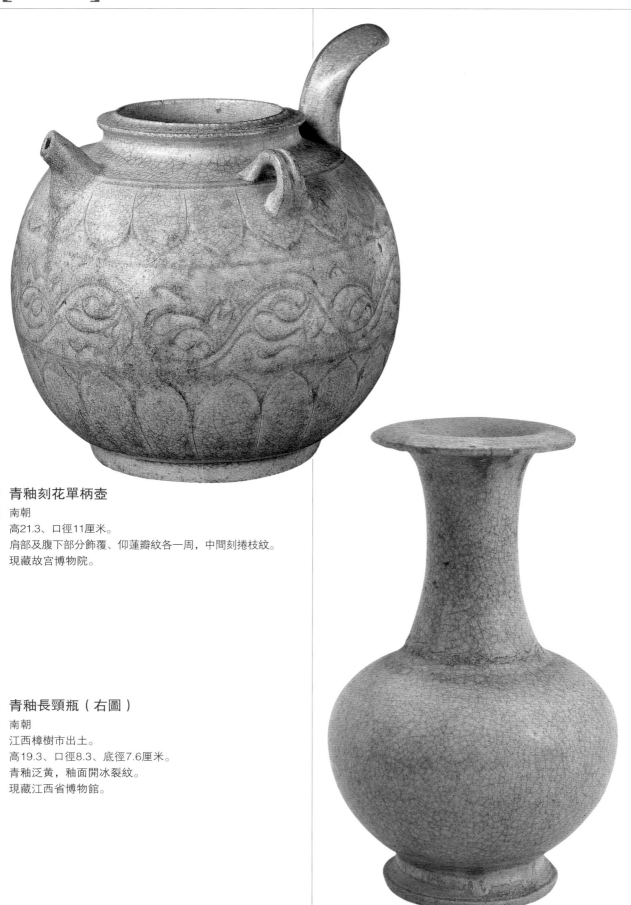

青釉刻花單柄壺

南朝

高21.3、口徑11厘米。

肩部及腹下部分飾覆、仰蓮瓣紋各一周，中間刻捲枝紋。

現藏故宮博物院。

青釉長頸瓶（右圖）

南朝

江西樟樹市出土。

高19.3、口徑8.3、底徑7.6厘米。

青釉泛黃，釉面開冰裂紋。

現藏江西省博物館。

青釉蓮花蓋尊

南朝

湖北武漢市武昌區鉢盂山出土。

高43.7、口徑12厘米。

浮雕蓮瓣形蓋。肩部有六繫，腰及近底部浮雕
覆、仰蓮瓣紋。

現藏湖北省博物館。

西漢至南北朝（公元前二○六年至公元五八九年）

青釉蓮花蓋尊

南朝

湖北武漢市武昌區出土。

高35.8、口徑11厘米。

肩部置對稱單、雙耳繫各一對。周身飾仰覆蓮紋、蔓草紋和弦紋。

現藏中國國家博物館。

青釉蓮花蓋尊

南朝

江蘇南京市林山梁墓出土。

高79、口徑21.5厘米。

通體蓮花紋堆塑，折腹，肩部有六繫。

現藏江蘇省南京市博物館。

青釉蓮瓣紋蓋罐

南朝

江蘇泰州市蘇北電機廠出土。

高28厘米。

滿施青黃色釉，有細小開片，腹中部
有一周忍冬紋。

現藏江蘇省泰州市博物館。

青釉覆蓮瓣紋小罐

南朝

江蘇南京市出土。

高11、口徑5厘米。

肩部有對稱橋形繫，蓋面、器身浮雕覆蓮瓣紋。

現藏南京博物院。

青釉罐

南朝

江蘇泰州市泰西鄉魯莊村六朝墓出土。

高29.3、口徑20.3厘米。

直口平沿，寬肩鼓腹平底，肩有十繫，腹上部飾覆蓮紋一周，中部飾團蓮紋十二個，下部飾仰蓮紋一周。

現藏江蘇省泰州市博物館。

青釉碗

南朝

江蘇南京市孟北村出土。

高8、口徑15.6厘米。

碗口微敞，實足，碗身刻蓮瓣紋。

現藏江蘇省南京市博物館。

青釉蓮瓣紋托盞

南朝

江西吉安市南朝齊墓出土。

高10.9、托口徑15.5厘米。

碗口微斂，實足，托盞敞口，中心凸起一圓臺，
承杯、盞的器身刻劃蓮瓣紋。

現藏江西省博物館。

青釉盤

南朝

江蘇南京市徵集。

高2.5、口徑15.6厘米。

盤敞口，淺腹，内壁飾蓮瓣紋和圈紋。

現藏江蘇省南京市博物館。

青釉虎子

南朝

江蘇南京市徵集。

高31、長30.5、寬18厘米。

虎作蹲伏狀，虎尾爲提梁。

現藏江蘇省南京巿博物館。

青釉虎子

南朝

浙江湖州市埭溪鄉沙河出土。

高18、長17.3厘米。

虎昂首長嘯四肢曲蹬。背部有提梁。

現藏浙江省湖州市博物館。

青釉熏爐（右圖）
南朝
江西永豐縣出土。
高17.9、底徑13厘米。
托盤淺腹平底，爐體猶如一朵盛開的蓮花，花蕊塑一立鶴。
現藏江西省博物館。

青釉蓮花燈檠
南朝
福建閩侯縣出土。
高21.2厘米。
圓盤形底座，上豎一多角形柱體，柱身塑蓮花，柱頂有開花現佛。
現藏福建博物院。

青釉人物樓閣魂瓶

南朝

江蘇南京市上坊出土。

高45、底徑17厘米。

瓶上部堆塑樓閣等飾物，瓶身貼塑胡人騎羊、辟邪、螃蟹和佛像等。

現藏江蘇省南京市博物館。

青釉龍柄鷄首壺

北魏

山西太原市東太堡出土。

高28.5、口徑8厘米。

肩部塑鷄首流和龍柄。

現藏山西博物院。

黃褐釉獸首柄四繫瓶

東魏

河北景縣大高義村高雅墓出土。

高45、口徑14.9厘米。

肩部置對稱四繫，安一獸形曲柄。

現藏河北省博物館。

青釉托盞

北魏

山西太原市東太堡出土。

高6.3、盞口徑9、托口徑15.2厘米。

托盞敞口，碗口微敞，實足。器身無紋。

現藏山西博物院。

青釉蟾座蠟臺

北魏

河南偃師市杏園村染華墓出土。

高18.8、寬11.5厘米。

蟾作蹲伏狀，頭頂一長板，長板上放置

四個直口深腹的小杯。

現藏河南省洛陽博物館。

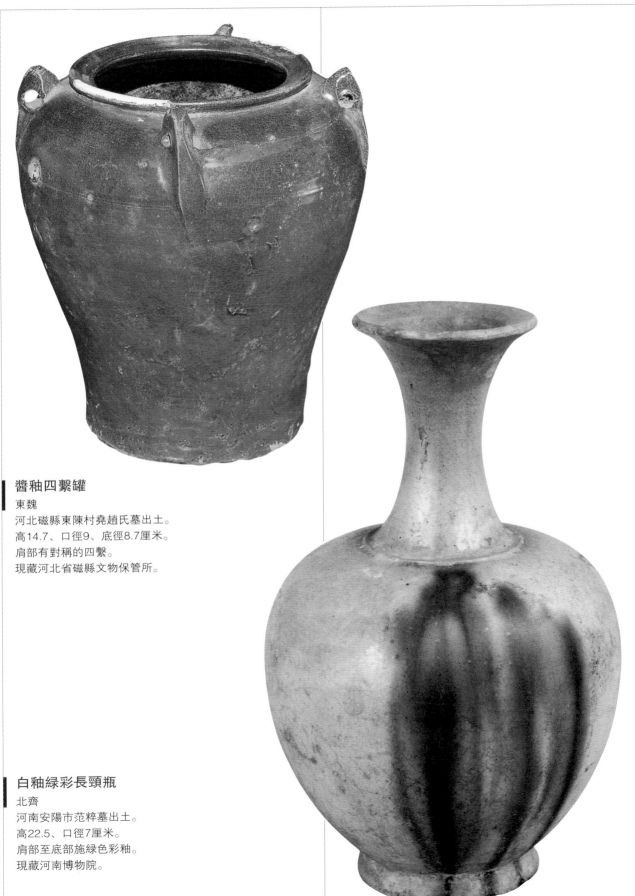

醬釉四繫罐
東魏
河北磁縣東陳村堯趙氏墓出土。
高14.7、口徑9、底徑8.7厘米。
肩部有對稱的四繫。
現藏河北省磁縣文物保管所。

白釉綠彩長頸瓶
北齊
河南安陽市范粹墓出土。
高22.5、口徑7厘米。
肩部至底部施綠色彩釉。
現藏河南博物院。

【 瓷 器 】

西漢至南北朝（公元前二〇六年至公元五八九年）

青釉鷄首壺

北齊

河北磁縣高潤墓出土。

高46.1厘米。

施青黄色釉，肩部有鷄首流，另一端爲龍首長環柄。

現藏河北省磁縣文物保管所。

黄釉印花樂舞人物紋扁壺

北齊

河南安陽市范粹墓出土。

高19.5、口徑6.4厘米。

釉色橘黄，底部有垂釉，壺身飾 "胡騰舞" 圖案。

現藏河南博物院。

青釉仰覆蓮花尊

北齊

河北景縣封氏墓群出土。
高63.6、口徑19.4厘米。
通體施青灰釉，采用劃花、貼花、刻花
技巧，飾團花、神獸和蓮紋等。
現藏中國國家博物館。

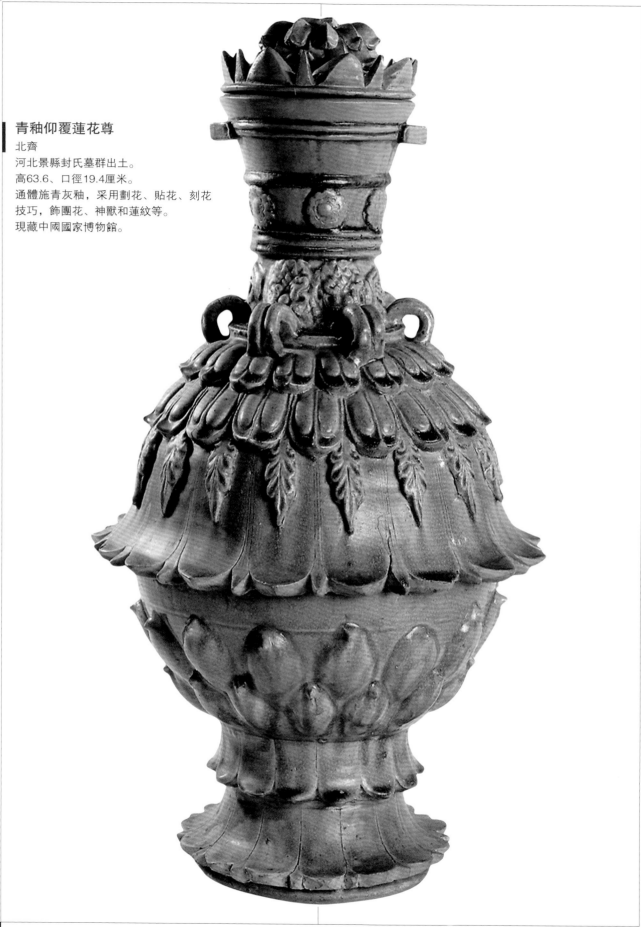

青釉仰覆蓮花尊（右圖）

北齊

河北景縣封氏墓群出土。

高55.8、口徑15.5厘米。

貼塑飛天及團龍圖案，腹部、足部飾蓮瓣紋。

現藏故宮博物院。

黃釉罐

北齊

河北磁縣灣漳村北齊壁畫墓出土。

高18厘米。

器身光滑，素面無紋。

現藏中國社會科學院考古研究所。

青釉四繫罐

北齊

河北平山縣崔昂墓出土。

高16.5、口徑9厘米。

肩部有方形和橋形繫耳各一對。

現藏河北省博物館。

青釉劃花六繫罐

北齊

河南濮陽市逭河砦李雲墓出土。

高28.5厘米。

肩部有六繫，繫間刻圓圈和花瓣紋。腹部飾三道弦紋，相間處刻鴨、樹和三角紋等。

現藏河南博物院。

白釉綠彩刻花蓮瓣紋四繫罐

北齊

河南濮陽市這河砦李雲墓出土。

高24、口徑8.7厘米。

施米黃色釉，近底部無釉，由口沿垂下六條綠彩，肩部四繫，繫下飾忍冬紋一周，腹部飾瓣尖微捲的蓮花。

現藏河南博物院。

白釉四繫罐

北齊

河南安陽市范粹墓出土。

高20厘米。

胎質細白，釉色白中泛青，薄而光潤。

現藏河南博物院。

青黃釉覆蓮紋蓋罐（右圖）
北齊
河北磁縣高潤墓出土。
高37.8、口徑12.7、底徑13.5厘米。
小口短頸，鼓腹下收，肩部飾蓮瓣紋，上腹部有三道弦紋。
現藏河北省磁縣文物保管所。

青釉六繫盤口瓶
北周
陝西西安市獨孤藏墓出土。
高32.5厘米。
白胎，施青綠釉，凸棱上有八組陰刻三角形紋飾。
現藏陝西省考古研究院。

青釉罐

北朝

高27.9、口徑11.3、底徑13.3厘米。

肩有八繫耳，肩腹部交接處飾弦紋，腹部貼花兩層。

現藏中國國家博物館。

西漢至南北朝（公元前二〇六年至公元五八九年）

青釉蓮花尊

北朝

河南上蔡縣出土。

高49.5、口徑17.3厘米。

尊有蓮花蓋，器身貼塑紋飾，有對稱的環形繫，肩部及腹部裝飾仰、覆蓮紋。

現藏中國國家博物館。

青釉蓮花尊

北朝

山東淄博市淄川區和莊村出土。

高58.4、口徑15.1、足徑16厘米。

肩部有四弧形繫，頸部飾凹弦紋，腹部飾蓮瓣紋和忍冬紋。

現藏山東省淄博市博物館。

青釉盤口四繫壺

隋

安徽合肥市白水壩出土。

高40厘米。

釉色青中泛黄，從頭部至腹部以印花工藝飾五層紋樣，
腹部爲兩層變體蓮瓣紋夾一層忍冬紋。

現藏安徽省文物考古研究所。

青釉雙繫鷄首壺

隋

浙江嵊州市出土。

高18.6、口徑6.5厘米。

雙股柄上端向内彎曲，柄内孔徑小。

現藏浙江省嵊州市文物管理委員會。

隋唐五代十國（公元五八一年至公元九六〇年）

青釉鷄首壺

隋

江蘇連雲港市錦屏山出土。

高24.4、口徑5.6厘米。

洗口長頸，溜肩束腰。頸部塑鷄首，口至肩塑龍形執柄。肩腹結合處凸起弦紋。

現藏南京博物院。

青釉鷄首壺

隋

江蘇儀徵市出土。

高21、口徑5.7厘米。

高頸鼓腹圈足。肩部有對稱四繫，頸部塑鷄首，從口至肩塑龍形柄。

現藏江蘇省揚州博物館。

青釉蹲猴壺

隋

山東泰安市舊縣村出土。

高24厘米。

肩部一側貼塑蹲猴，另一側置龍柄。

現藏山東省泰安市博物館。

青釉象首壺

隋

江西新建縣出土。

高23、口徑1.8厘米。

施黃綠釉，釉色勻淨，開冰裂細片，象首活靈活現，

爲盛酒用器。

現藏江西省博物館。

青釉雙繫瓶（右圖）

隋

山東曲阜市出土。

高35.2、口徑8.9厘米。

素胎，口沿至腹上部施青釉，腹下部有垂釉現象。

現藏山東省博物館。

青釉龍首盉

隋

湖南長沙市出土。

高14、口徑6厘米。

柄作龍首形，流作變形鳳首，三獸首蹄足。

現藏湖南省博物館。

青釉四繫罐

隋

高22.5、口徑8.6厘米。

施青釉至腹下，底足無釉，釉面略帶黃色，有細
小紋片。

現藏故宮博物院。

青釉貼花四繫罐

隋

高17.7、口徑9.6厘米。

肩部飾團花紋，下飾凸弦紋，腹上部貼有團花、
草葉、團龍、獸面等圖案。

現藏故宮博物院。

青釉八繫罐

隋

陝西西安市李靜訓墓出土。

高21、口徑9.4厘米。

肩部有對稱環形和方形繫耳。肩、腹飾弦紋。

肩刻覆蓮瓣，腹飾花紋一周。

現藏中國國家博物館。

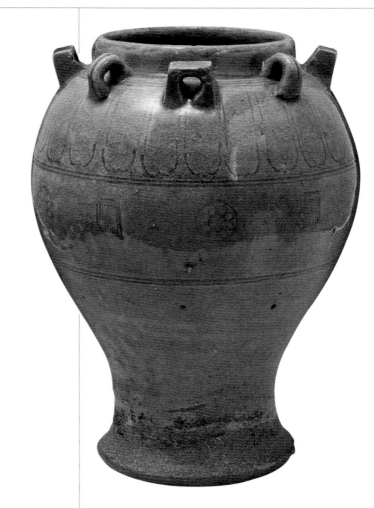

青釉辟雍硯

隋

高6.4、口徑18.8厘米。

外部施青綠色釉，下附十一隻蹄足。

現藏江蘇省揚州博物館。

青釉燭臺

隋

高17.4、口徑5.4厘米。

外施開片青釉，座下端有浮雕蓮花瓣裝飾，
座柱空心。

現藏湖南省博物館。

青釉舍利塔

隋

山東泰安市粥店鄉出土。

高31厘米。

胎體厚重，近白色。圓盤式塔頂，圓
塔身，內孔，壺形門，平底。

現藏山東省泰安市博物館。

【 瓷 器 】

白釉貼花壺

隋

河南安陽市張盛墓出土。

高39、口徑16.5、底徑16厘米。

腹部貼飾鋪首銜環十個，頸、肩、足飾弦紋數道。

現藏河南博物院。

白釉鷄首壺

隋

陝西西安市李静訓墓出土。

高27.4、口徑7.1厘米。

肩部塑兩繫耳，一側飾鷄首，對側龍首連口部。頸部有
竹節狀雙弦紋。

現藏中國國家博物館。

白釉雙龍柄聯腹瓶

隋

高18.5、口徑5.2厘米。

盤口單頸，頸下各附一繫，雙腹聯體，口沿至肩部塑兩
龍柄，小平底且内凹，數道弦紋飾于肩、腹部。

現藏天津博物館。

[瓷 器]

隋唐五代十國（公元五八一年至公元九六〇年）

白釉象首壺（右圖）
隋
河南安陽市張盛墓出土。
高13厘米。
象口爲流，象牙和象鼻高高豎起。後部有一龍形柄。
現藏河南博物院。

白釉帶蓋唾壺
隋
陝西西安市郭家灘姬威墓出土。
高16.9、口徑9.3厘米。
蓋如僧帽，頂端有一寶珠形鈕。器內外均施乳白色釉，表面有冰裂紋。
現藏中國國家博物館。

白釉罐

隋

高18.5、口徑9.6厘米。

白色釉，罐口沿微外捲，外部施釉不到底，釉面有細小紋片。

現藏故宮博物院。

白釉束腰蓋罐

隋

陝西西安市郭家灘出土。

高16.9、口徑9.3厘米。

罐腹中部束腰，帶蓋，蓋呈僧帽狀。通身有細小冰裂紋。

現藏中國國家博物館。

【 瓷 器 】

隋唐五代十國（公元五八一年至公元九六〇年）

白釉四環足盤

隋

河南安陽市張盛墓出土。

高11、口徑36厘米。

釉色灰白，盤下四環，可輕輕轉動。

現藏河南博物院。

白釉錢倉(右圖)

隋

河南安陽市張盛墓出土。

高36、口徑12厘米。

多級覆碗形蓋，圓筒形倉身，圈足外壁鏤孔。

此爲隨葬冥器，爲死者盛放冥錢之用。

現藏河南博物院。

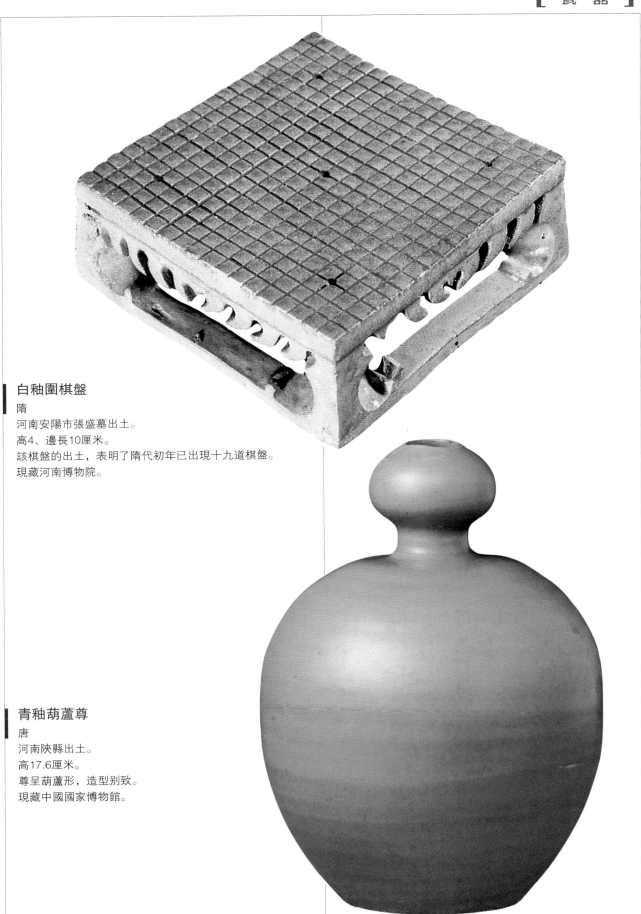

白釉圍棋盤
隋
河南安陽市張盛墓出土。
高4、邊長10厘米。
該棋盤的出土，表明了隋代初年已出現十九道棋盤。
現藏河南博物院。

青釉葫蘆尊
唐
河南陝縣出土。
高17.6厘米。
尊呈葫蘆形，造型別致。
現藏中國國家博物館。

青釉瓜棱執壺

唐

浙江奉化市出土。

高16.6、口徑5.2、底徑7.8厘米。

肩部置多角形壺嘴和扁帶狀把。溜肩瓜棱腹，壺身無紋。

現藏浙江省寧波市博物館。

青釉瓜棱執壺

唐

浙江寧波市和義路遺址出土。

高25.8、口徑11、底徑8.3厘米。

肩部置壺嘴和扁帶狀把，瓜棱腹，壺身無紋。

現藏浙江省寧波市博物館。

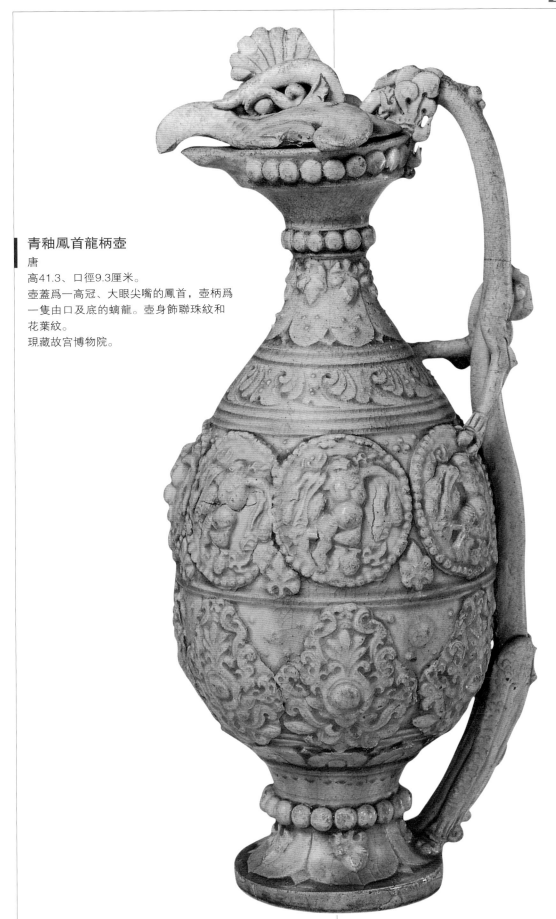

青釉鳳首龍柄壺
唐
高41.3、口徑9.3厘米。
壺蓋爲一高冠、大眼尖嘴的鳳首，壺柄爲
一隻由口及底的螭龍。壺身飾聯珠紋和
花葉紋。
現藏故宮博物院。

青釉四繫壺

唐

高15.5、口徑6.9厘米。

敞口翻唇，鼓腹平底。肩部有橋形四繫，通體無紋。
現藏上海博物館。

青釉雙繫蓋罐

唐

高12.3、口徑2.8厘米。

無鈕蓋，直口，瓜棱腹，圈足。通體施青釉。
現藏天津博物館。

青釉墓志罐

唐

浙江餘姚市勝歸山東麓出土。

高31厘米。

圓柱形罐體上刻墓志二十一行共二百九十字，記述了墓主人的生平及家庭情況，有唐"會昌二年"（公元842年）銘文。此類墓志罐在浙江地區較爲常見。

現藏浙江省餘姚市文物管理委員會。

青釉墓志罐

唐

浙江餘姚市周家岙出土。

高21、腹徑11、底徑7.7厘米。

蓋呈盔狀，頂飾錐形鈕，罐呈圓筒狀，深腹。托盤圓唇淺腹。罐蓋與罐身刻墓志文二百九十字。

現藏浙江省餘姚市文物管理委員會。

青釉長頸瓶

唐

高22.4、口徑2.3厘米。

通體滿釉，無紋飾。

現藏故宮博物院。

青釉八棱瓶

唐

高22.5、口徑1.7厘米。

直口，長頸，鼓腹，淺圈足。通體施青綠釉，

足底刻一"七"字。

現藏故宮博物院。

青釉雙龍耳瓶

唐

高60.8厘米。

盤口，口沿至肩部飾雙龍柄，頸部飾弦紋數周，
肩部與上腹部飾花葉紋。

現藏中國國家博物館。

青釉盤龍罍

唐

浙江上虞市出土。

高41、口徑20.7厘米。

喇叭口，肩頸間置四個長鋬，鋬上塑一蟠龍。

現藏浙江省上虞市文物管理委員會。

青釉褐彩如意雲紋罌

唐

浙江臨安市水邱氏墓出土。

高66、口徑19.8厘米。

蓋半球狀，頂飾蓮蕾狀鈕。通體繪褐彩如意雲紋。

現藏浙江省臨安市文物管理委員會。

青釉蟠龍罌

唐

浙江慈溪市鳴鶴鄉瓦窯頭村出土。

高36.3、口徑20.5、底徑10.6厘米。

盤口長頸，弧腹平底。頸肩處置對稱雙繫，

腹部刻劃蟠龍及雲紋。

現藏浙江省慈溪市文物管理委員會。

青釉褐彩如意雲紋鏤孔薰爐

唐

浙江臨安市水邱氏墓出土。

高66、口徑40.5厘米。

蓋呈頭盔形，有鏤孔，上飾如意雲紋。爐身外
折寬平沿，筒腹，平底，下承五個虎首獸足。
底爲環形鏤孔座。

現藏浙江省臨安市文物管理委員會。

青釉海棠式碗

唐

高10.8、口長32.2厘米。

海棠式花瓣口。施青釉，素面無紋飾。

現藏上海博物館。

青釉花口碗

唐

浙江臨安市水邱氏墓出土。

高8.5、口徑16.7厘米。

五瓣花形，釉色青翠。

現藏浙江省臨安市文物管理委員會。

青釉刻花盤

唐

江蘇揚州市邗江區霍橋鄉出土。

高2.5、口徑15.1厘米。

內壁中心爲荷葉紋，周邊圍繞六片荷葉。滿施
瑩潤的青綠色釉。

現藏江蘇省揚州博物館。

青釉多足硯

唐

陝西西安市長安區徵集。

高9、口徑24、底徑29厘米。

硯面呈圓形，中心微凸，外圈有環形水槽。

通體施青釉，有二十七獸足。

現藏陝西歷史博物館。

秘色瓷曲口圈足碗

唐

陝西扶風縣法門寺唐塔地宮出土。

高9.4、口徑21.4厘米。

曲口，內平底刻劃葵花紋，外壁呈葵瓣狀，

圈足外撇，外平底。

現藏陝西省法門寺博物館。

秘色瓷曲口深腹盤

唐

陝西扶風縣法門寺唐塔地宮出土。

高6.1、口徑23.8厘米。

曲口，口爲花瓣狀，坦腹，平底。

現藏陝西省法門寺博物館。

秘色瓷八棱净水瓶

唐
陝西扶風縣法門寺唐塔地宮出土。
高21.5、口徑2.2、足徑8厘米。
高頸，隆腹，腹部有八棱，平底。
現藏陝西省法門寺博物館。

白釉執壺

唐
江蘇揚州市東風磚瓦廠出土。
高17.3、口徑7.5厘米。
喇叭口，高頸，卵形肩腹，餅狀底。肩部前置
管狀短流，後置圓形鋬手，與口沿相聯。
現藏江蘇省揚州博物館。

白釉執壺

唐

高17、口徑6.4厘米。

肩部前塑管狀短流，後置鋬手。

現藏天津博物館。

白釉執壺

唐

高16、口徑8厘米。

通體施白釉，開細小紋片，壺底無釉。

現藏廣東省博物館。

白釉花口執壺（右圖）

唐

高11.2、口徑3.3厘米。

壺口呈蓮瓣形，壺腹部淺刻花紋。胎質堅實，
周身施白釉。

現藏故宮博物院。

白釉瓜棱形執壺

唐

浙江臨安市水邱氏墓出土。

高15.5厘米。

敞口，束頸，瓜棱形腹，肩部置八棱
形短流，曲柄。器底刻一"徽"字。

現藏浙江省臨安市文物管理委員會。

白釉人頭柄壺

唐

山西太原市石莊頭村出土。

高31.2、口徑9.5厘米。

壺口呈荷葉形，前置短流，流下飾一貼花長莖葉，與流
相對一側置一人形曲柄，上塑一人頭。

現藏山西博物院。

白釉穿帶壺

唐

高29.5、口徑7.3厘米。

器身有對稱雙繫扣，胎質細膩堅實。

現藏上海博物館。

白釉馬蹬壺

唐

陝西西安市沙坡出土。

高20厘米。

小口，半圓形提梁，鼓腹，壺上飾凸起紋樣，
器身有浮雕。

現藏陝西省西安市文物保護考古所。

隋唐五代十國（公元五八一年至公元九六〇年）

白釉皮囊壺

唐

高12.5厘米。

上端有一直口流，中間凸起一曲形柄，壺身兩面飾凸
起紋飾，底劃行書"徐六師記"，應爲工匠名款。
現藏故宮博物院。

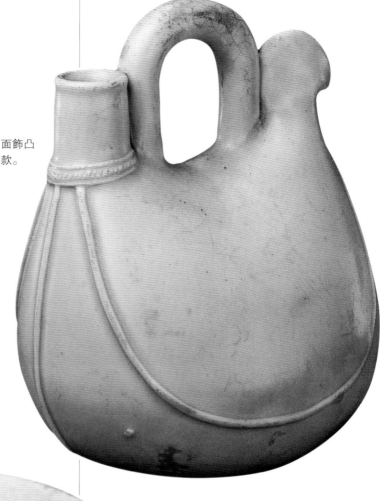

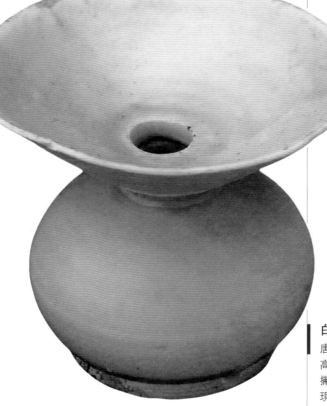

白釉唾壺

唐

高9.1厘米。

撇口，寬沿，小口如洞，淺圈足。壺身無紋。
現藏故宮博物院。

白釉帶蓋唾壺

唐

高13.5、口徑10.2厘米。

口外撇，短頸，扁圓腹，平底。蓋鈕爲桃形。壺
裏外施釉。

現藏故宮博物院。

白釉罐

唐

陝西西安市大明宮遺址出土。

高22.3、腹徑21厘米。

罐通體施白釉。

現藏陝西省西安市文物保護考
古所。

白釉軍持

唐

高25.3厘米。

釉面開小冰裂，釉不及底。

現藏江蘇省常州博物館。

白釉長頸瓶

唐

河南陝縣出土。

高22.2、口徑6.9厘米。

通體光滑無紋。

現藏中國國家博物館。

白釉雙魚瓶

唐

河北井陘縣出土。

高21、口徑4.9厘米。

肩部有雙繫，腹部刻劃魚紋。

現藏河北省博物館。

白釉碗

唐

河北邢臺市唐墓出土。

高4.7、口徑15.6厘米。

裏外滿釉，足無釉，釉色瑩潤。

現藏故宮博物院。

白釉葵瓣碗

唐

高3.7、口徑12.6厘米。

五葵瓣式碗口。裏外滿釉，足邊無釉，通體無紋飾。

現藏故宮博物院。

白釉鉢

唐

高7.9、口徑11厘米。

裏外滿釉，足邊無釉，有細小開片。

現藏故宮博物院。

白釉葵口盤

唐

陝西西安市火燒壁出土。

口徑14.4厘米。

五瓣葵花形口，淺腹壁外敞，圈足。通體施白釉。

器底刻一"官"字。

現藏陝西歷史博物館。

白釉菱花口盤

唐

浙江臨安市明堂山錢寬墓出土。

高3.3、口徑14.8厘米。

菱花形口，矮圈足。胎體潔白細膩。

現藏浙江省博物館。

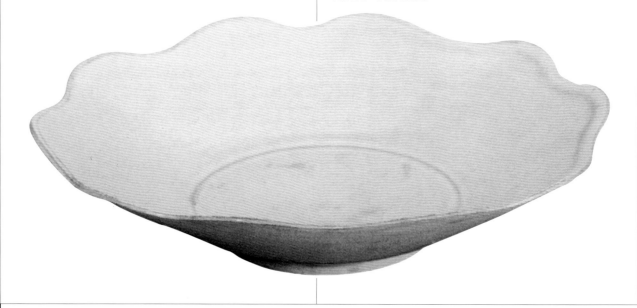

白釉三足盤

唐

高8、口徑22.5厘米。

通體施白釉，釉色潔白，開細小紋片。

現藏故宮博物院。

白釉連托把杯

唐

浙江臨安市水邱氏墓出土。

杯高4、托高4厘米。

柄壁一側刻龍紋，另一側刻鳳紋，底刻"新官"兩字。

現藏浙江省臨安市文物管理委員會。

隋唐五代十國（公元五八一年至公元九六〇年）

白釉海棠式杯

唐

浙江臨安市水邱氏墓出土。

高6.3厘米。

海棠花形，胎體潔白細膩，釉色清潔。

現藏浙江省臨安市文物管理委員會。

白釉四繫大罐

唐

高32.3、口徑12厘米。

肩有四繫，無紋。

現藏故宮博物院。

白釉雙繫罐

唐

北京昌平區唐墓出土。

高9.5、口徑11.7厘米。

形似鉢，口沿有對稱的雙繫，繫與罐體

連接處有數十個乳釘紋。

現藏首都博物館。

白釉刻花鴨形水注

唐

高7.3、長13.2厘米。

口呈海棠花形狀，腹內底部伏一小龜，

龜與鴨嘴相通。通體施白釉。

現藏故宮博物院。

白釉花紋高腳鉢

唐

陝西西安市韓森寨段伯陽墓出土。

高22.7、口徑18、腹徑22.2、底徑15厘米。

廣口，鼓腹，高足，腹部以弦紋和凸弦紋分爲數層，
主題紋飾爲圓形和方形相間的圖案，近足處飾朵花
紋、仰蓮紋一周。足部飾蓮瓣紋。

現藏陝西歷史博物館。

白釉胡人酒尊

唐

陝西西安市韓森寨出土。

高23.5厘米。

整體爲胡人懷抱皮囊形，胡人體內中空，
皮囊口爲尊口。

現藏陝西歷史博物館。

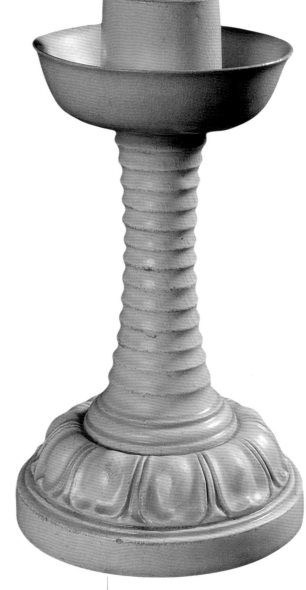

白釉蓮瓣座燈臺

唐

河南陝縣劉家渠出土。

高30.4厘米。

釉色潔白瑩潤，座底飾一"永"字。

現藏中國國家博物館。

白釉藍彩盤

唐

高3.1、口徑15厘米。

施白色低溫鉛釉，塗撒藍色斑點和條紋。

現藏故宮博物院。

長沙窰青釉貼花人物紋執壺

唐

湖南衡陽市司前街水井出土。

高16.3厘米。

腹部飾三塊貼花，貼花處刷褐釉。流下貼花爲一舞蹈女子，左側爲一方塔，右側爲立獅。

現藏湖南省博物館。

隋唐五代十國（公元五八一年至公元九六〇年）

長沙窯紅綠彩執壺

唐

湖南望城縣長沙窯址出土。

高22厘米。

釉色淡青，兩側繪紅、綠彩紋樣。

現藏湖南省博物館。

長沙窯黃釉褐彩鳥紋執壺

唐

湖南望城縣長沙窯址出土。

高19.2、口徑10.4厘米。

流下用褐彩繪複綫裝飾的飛鳥圖。

現藏湖南省銅官陶瓷公司。

長沙窑青釉褐綠點彩執壺

唐

湖南望城縣長沙窑址出土。

高21.7厘米。

肩部有一長流和執手。壺身飾褐、綠色聯珠紋組成的渦狀雲紋及花瓣紋。

現藏湖南省博物館。

長沙窑青釉褐綠彩蓮花壺（右圖）

唐

湖南望城縣長沙窑址出土。

高19、口徑10厘米。

壺腹部釉下彩繪蓮花紋飾。

現藏湖南省博物館。

長沙窑青釉褐綠彩飛鳳紋執壺

唐

湖南望城縣長沙窑址出土。

高23厘米。

通體施青釉，開細碎紋片。釉下用流暢綫條繪彩鳳。

現藏湖南省博物館。

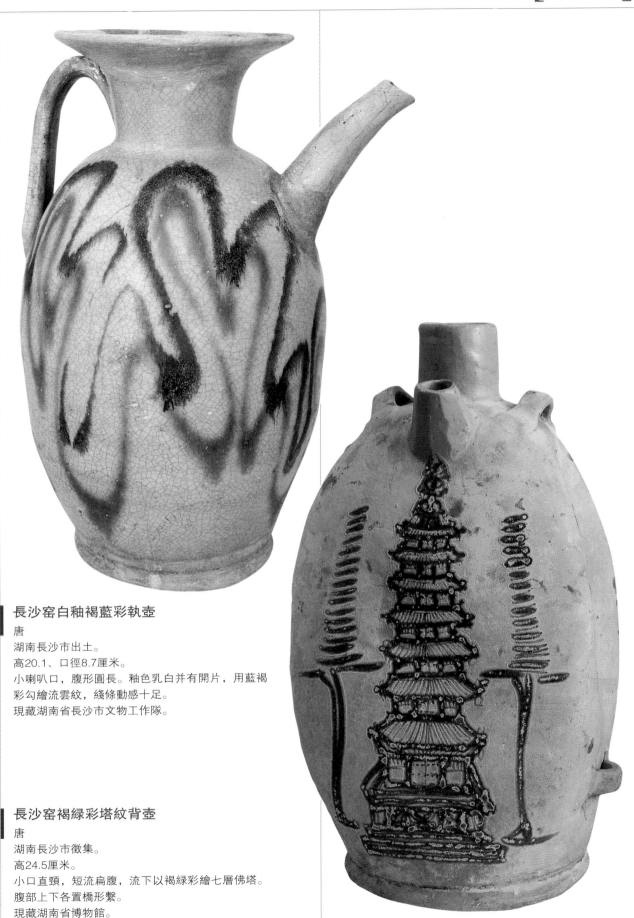

長沙窯白釉褐藍彩執壺
唐
湖南長沙市出土。
高20.1、口徑8.7厘米。
小喇叭口，腹形圓長。釉色乳白并有開片，用藍褐
彩勾繪流雲紋，綫條動感十足。
現藏湖南省長沙市文物工作隊。

長沙窯褐綠彩塔紋背壺
唐
湖南長沙市徵集。
高24.5厘米。
小口直頸，短流扁腹，流下以褐綠彩繪七層佛塔。
腹部上下各置橋形繫。
現藏湖南省博物館。

長沙窯黃釉褐藍雲紋雙耳罐

唐

江蘇揚州市石塔路出土。

高29.8、口徑16.3厘米。

肩置對稱雙繫，其上模印雲紋和"王"字紋。器身裝飾
以褐、藍彩聯珠斑點組成的捲雲紋和蓮花紋等。

現藏江蘇省揚州博物館。

長沙窰黃釉山水紋雙耳罐

唐

高23、口徑12、底徑13厘米。

肩兩側附半環狀雲紋豎耳，腹部以褐彩
繪山巒、樹木和飛鳥。

現藏湖南省文物考古研究所。

長沙窰黃釉綠彩油盒

唐

江蘇揚州市平山鄉出土。

高5.5、口徑10.1厘米。

蓋與盒呈子母口套合，平底。蓋面飾綠彩捲雲紋。揚州
出土的同類青瓷盒蓋面書“油合”二字，可知其爲裝頭
油所用。

現藏江蘇省揚州博物館。

長沙窯青釉彩繪花鳥燭臺

唐

湖南望城縣長沙窯址出土。

高22、底徑13.7厘米。

小盲口，圓唇圓肩，向下逐漸擴大呈塔形。底座一側有
一花瓣形鏤孔，鏤孔上部繪一捲雲紋，兩側繪飛鳥。
現藏湖南省長沙市博物館。

長沙窯青釉褐綠彩花卉紋枕

唐

高10.8厘米。

釉下繪褐、綠色花瓣紋。

現藏上海博物館。

黃釉席紋剪紙貼花執壺

唐

河北正定縣東臨濟村出土。

高13.7、口徑6.6厘米。

流下以褐彩飾四出菱花剪紙紋樣。

現藏河北省正定縣文物保管所。

黃釉執壺

唐

安徽淮北市出土。

高25.1厘米。

黃紅色胎，施黃釉，有小開片紋。

現藏安徽省博物館。

黃釉胡人戲獅圖扁壺

唐

山西太原市玉門溝出土。

高28、寬16.5、口徑5.5厘米。

口沿下飾聯珠紋兩周，其間爲蓮瓣紋。頸部飾覆蓮瓣紋，底飾聯珠紋和覆蓮瓣紋。腹部飾胡人戲獅子，正中爲一胡人，右手舉鞭，左右各一蹲獅，獅背上各有一人作舞球狀。

現藏山西博物院。

綠釉穿帶壺（右圖）

唐

湖南望城縣長沙窯址出土。

高23.5厘米。

器身置對稱雙繫扣，通體施綠釉。

現藏湖南省長沙市博物館。

綠釉雙耳葫蘆形瓶

唐

高20、口徑2.4厘米。

通體施綠釉，底無釉，有旋輪痕。

現藏廣東省博物館。

藍灰釉霜斑執壺

唐

河南陝縣劉家渠出土。

高30.9厘米。

通體施藍灰色釉，有白色斑紋。

現藏中國國家博物館。

黑釉藍斑雙繫壺

唐

高27.1、口徑12.2厘米。

釉色黑褐，肩部飾三組藍色斑紋。

現藏故宮博物院。

黑釉藍斑執壺（右圖）

唐

高17.5、口徑7.7厘米。

撇口，短流，長圓腹。裏外均施黑褐色釉，
壺口上有三處灰藍色斑紋。

現藏故宮博物院。

黑釉藍斑罐

唐

高21.2、口徑7.9厘米。

撇口，短頸，長圓腹。裏外施釉，罐
身飾以三個連接的藍色大斑紋。

現藏故宮博物院。

隋
唐
五
代
十
國
（
公
元
五
八
一
年
至
公
元
九
六
〇
年
）

黃釉藍斑罐

唐

高18.2、口徑9.5厘米。

裏外施釉，外部褐黃色釉上施加藍彩
斑點四塊。

現藏故宮博物院。

黑釉白斑拍鼓

唐

陝西西安市東門外出土。

長56、鼓面直徑23厘米。

器身呈對稱狀，飾七道凸弦紋，施黑釉，有白斑。

現藏陝西省西安市文物保護考古所。

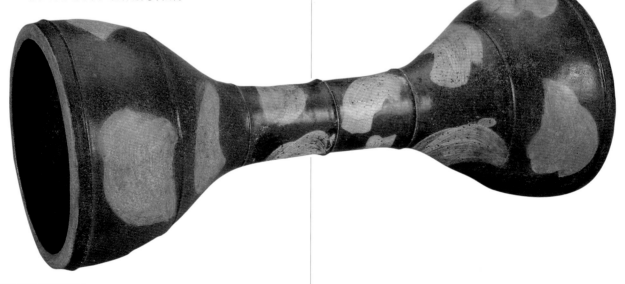

青釉瓜棱執壺

五代十國

浙江瑞安市礁石出土。

高21.6、口徑10.2厘米。

細長圓流，扁平把手，腹上刻四道淺瓜棱紋。

現藏浙江省瑞安市文物館。

青釉執壺

五代十國

高20.1、口徑9.8厘米。

壺身淺刻四條直綫紋。內外及足底滿施青灰色釉，

釉開細小紋片。

現藏故宮博物院。

青釉劃宴樂人物紋執壺

五代十國

北京石景山區韓佚墓出土。

高18、口徑4.5厘米。

壺腹劃四人宴飲圖，席前列酒尊、果盤。器底刻
"永"字款，有支燒痕，四周襯以祥雲。

現藏首都博物館。

青釉葫蘆形執壺（右圖）

五代十國

浙江溫州市西山磚墓出土。

高21、口徑6.8、底徑7.8厘米。

壺呈葫蘆形，頸腹間安有彎曲管形流和扁條形長鋬。

現藏浙江省溫州市博物館。

青釉壺

五代十國

浙江溫州市西山磚墓出土。

高11、口徑2.5、底徑6厘米。

壺身爲直口圓唇，扁圓瓜棱腹，喇叭形高足。

壺蓋傘狀，寶珠形鈕，流管作“S”形。

現藏浙江省溫州市博物館。

青釉雕花三足帶蓋罐

五代十國

陝西彬縣出土。

高10、口徑4.5厘米。

錐狀蓋，頂端有鈕。三蹄足。腹部雕刻折枝花。

現藏陝西歷史博物館。

青釉托盞

五代十國
浙江臨安市康陵出土。
高6.5、足徑6.8厘米。
托盤廣口淺腹，下附一高圈足。
現藏浙江省臨安市文物管理委員會。

青釉刻花托盞

五代十國
北京石景山區韓佚墓出土。
通高8.4厘米。
盞花瓣口，小圈足。托內刻劃花卉和小蜜蜂。
現藏首都博物館。

青釉刻花蓮瓣紋托盞
五代十國
江蘇蘇州市虎丘塔出土。
高13、盞高8.9厘米。
盞爲碗狀，托上部像盤，下部爲外撇高圈足。通體刻蓮
瓣紋，施青釉。
現藏江蘇省蘇州博物館。

青釉束頸雙耳罐
五代十國
浙江瑞安市桐溪水庫五代磚室墓出土。
高12.8、口徑14.2厘米。
罐肩部對稱豎貼兩個泥條形圓耳。
現藏浙江省溫州市博物館。

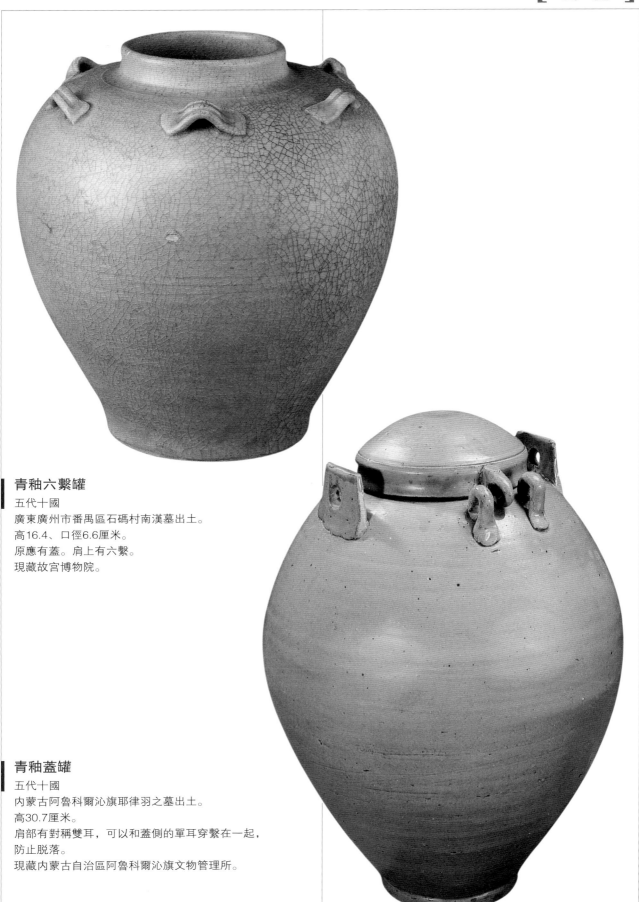

青釉六繫罐

五代十國

廣東廣州市番禺區石碼村南漢墓出土。

高16.4、口徑6.6厘米。

原應有蓋。肩上有六繫。

現藏故宮博物院。

青釉蓋罐

五代十國

內蒙古阿魯科爾沁旗耶律羽之墓出土。

高30.7厘米。

肩部有對稱雙耳，可以和蓋側的單耳穿繫在一起，

防止脫落。

現藏內蒙古自治區阿魯科爾沁旗文物管理所。

隋唐五代十國（公元五八一年至公元九六○年）

青釉蟠龍紋罍

五代十國

浙江杭州市玉皇山五代十國錢元瓘墓出土。

殘高37.2、底徑14.3厘米。

肩腹部飾雙龍戲珠紋，龍身刻鱗片。龍身下飾雲紋。

現藏浙江省博物館。

青釉刻蓮瓣紋小口瓶

五代十國
高43、口徑7.5厘米。
肩部刻劃蓮瓣紋。
現藏廣東省博物館。

青釉褐彩罍

五代十國
浙江臨安市板橋吳氏墓出土。
高51.3、口徑22、底徑14.5厘米。
頸肩部置一對稱雙繫，頸腹部飾褐彩捲雲紋，
肩部繪弦紋和覆蓮。
現藏浙江省博物館。

青釉唾盂

五代十國

浙江臨安市康陵出土。

高9.8、口徑16.8厘米。

敞口，口沿內捲，扁圓腹鼓，圈足。

現藏浙江省臨安市文物管理委員會。

青釉劃花蝶紋葵口盤

五代十國

北京豐臺區永定路出土。

高3.5、口徑13.6、底徑8厘米。

葵口，淺腹，內底壁飾花蝶紋。

現藏首都博物館。

青釉刻鸚鵡紋温碗

五代十國

北京石景山區韓佚墓出土。

高8.4、口徑18.6、底徑8.6厘米。

敞口，口沿外撇，內底壁飾鸚鵡紋，圈足。

現藏首都博物館。

青釉海水龍紋蓮瓣紋碗

五代十國

高5.3、口徑14.2厘米。

敞口，弧腹，碗內刻海水龍紋，外刻蓮花紋。

現藏上海博物館。

青釉刻蓮瓣紋渣斗

五代十國

高13.8、口徑20、底徑8.3厘米。

渣斗呈盤狀，光滑無紋，底座飾蓮瓣紋，矮圈足。

現藏首都博物館。

青釉釜

五代十國

浙江臨安市板橋出土。

高9.4、口徑17.5、底徑5.3厘米。

寬沿敞口，沿上有一對半環形提耳。內壁滿釉，

外壁無釉。

現藏浙江省博物館。

青釉鳥形把杯

五代十國

高6.5、口徑7.2厘米。

杯通體作一鳥形。杯身一側貼一展翅的小鳥前身，
杯身另一側貼微翹的鳥尾。

現藏故宮博物院。

青釉熏爐

五代十國

浙江三門縣聚氨脂廠基建工地出土。

高9.8、口徑9.4、底徑13厘米。

爐分蓋和底座兩部分。蓋上部鏤空，
底座圈足。

現藏浙江省三門縣博物館。

隋唐五代十國（公元五八一年至公元九六〇年）

青釉摩羯魚形水盂

五代十國

遼寧北票市水泉遼墓出土。

高9.3、長14、寬7.4厘米。

整體呈摩羯魚形，上顎上翻貼雙眼，下顎爲器口，
魚尾上翹，底置小圈足。

現藏遼寧省博物館。

青釉鴛鴦注子

五代十國

浙江上虞市下管鎮童郭村出土。

高11.7、長16.4厘米。

背上四弧形器口，鴛鴦的喙、眼、翅、尾、爪及
全身羽毛用捏塑、堆貼、刻劃等技法飾成。

現藏浙江省上虞市文物管理委員會。

黃釉褐彩雲紋鍪罌

五代十國

高50.5、口徑21.2厘米。

肩部繪覆蓮，頸腹部繪捲雲紋。

現藏浙江省博物館。

茶黃釉葫蘆形執壺

五代十國

湖南長沙市收集。

高22.7厘米。

壺作葫蘆形，蓋作瓜蒂狀。長流曲柄。

現藏湖南省博物館。

隋唐五代十國（公元五八一年至公元九六○年）

白釉"易定"款碗

五代十國

高6.3、口徑19.9厘米。

通體白釉，底刻"易定"款。

現藏上海博物館。

白釉三瓣花式碟

五代十國

江蘇張家港市玉帶河出土。

高3.8、口徑12.2厘米。

器身呈三瓣花形，平底，下有矮圈足。

現藏中國國家博物館。

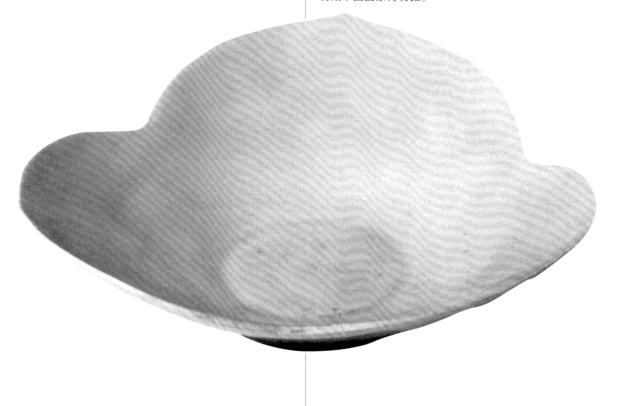

白釉"官"字款蓋罐

五代十國

高7.8、口徑5.7厘米。

蓋面飾瓜藤鈕，器底刻"官"字款。蓋和器
身均飾刻花蓮瓣紋。

現藏上海博物館。

白釉穿帶壺（右圖）

五代十國

高29.5、口徑7.3、足徑13.5厘米。

長圓形扁腹，肩、下腹部各安穿帶孔兩個，
腹部正背有凹棱兩道，大圈足。

現藏上海博物館。

白釉穿帶壺

遼

內蒙古阿魯科爾沁旗耶律羽之墓出土。

高36厘米。

壺身兩側附上下相對的橫條形繫。肩部飾三道弦紋。

現藏內蒙古自治區阿魯科爾沁旗文物管理所。

白釉花式杯口雕劃花注壺

遼

高32.8、口徑8.4厘米。

壺口呈花口杯形，頸部凸起十二道弦紋，肩部置一短流。腹部飾纏枝花紋。

現藏故宮博物院。

白釉盤口長頸注壺

遼

遼寧法庫縣葉茂臺遼墓出土。

高28.2厘米。

盤口，竹節狀細長頸。器身施釉，底足無釉。

現藏遼寧省博物館。

白釉蓮瓣紋帶溫碗注壺

遼

内蒙古科爾沁右翼前旗白辛屯古城出土。
通高13.4厘米。
壺蓋扁球形鈕，半圓形腹，與壺口成子母
口狀。壺肩飾蓮瓣紋，腹飾三層仰蓮紋。
碗外壁飾仰蓮紋。
現藏内蒙古博物院。

白釉葫蘆形執壺

遼

内蒙古巴林右旗羊場鄉遼墓出土。
高23.2厘米。
肩部一側爲環形執手，對側是雕花流。口沿
下部和上腹部飾花瓣紋。
現藏内蒙古巴林右旗博物館。

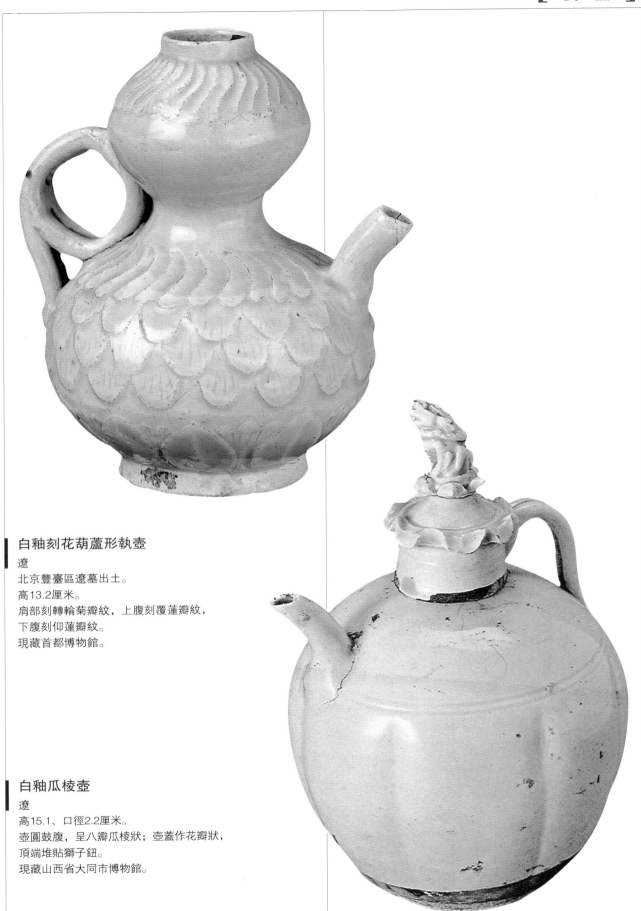

白釉刻花葫蘆形執壺

遼

北京豐臺區遼墓出土。

高13.2厘米。

肩部刻轉輪菊瓣紋，上腹刻覆蓮瓣紋，

下腹刻仰蓮瓣紋。

現藏首都博物館。

白釉瓜棱壺

遼

高15.1、口徑2.2厘米。

壺圓鼓腹，呈八瓣瓜棱狀；壺蓋作花瓣狀，

頂端堆貼獅子鈕。

現藏山西省大同市博物館。

白釉雕牡丹花提梁注壺

遼

遼寧遼陽市出土。

高12.5、腹徑9.5厘米。

短直流，絞索式提梁，矮圈足。壺頂內凹，中孔爲灌水
口，并貼塑一鳥。提梁前端貼塑四朵蝶狀花朵，肩四周
雕蓮瓣紋，腹部飾團花牡丹、蝴蝶等圖案。

現藏遼寧省遼陽博物館。

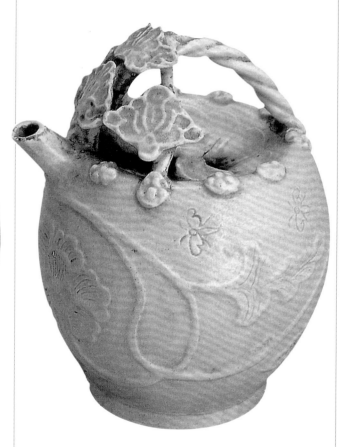

白釉雕牡丹花提梁注壺提梁側面

白釉提繫龍首注壺

遼

高15.1、腹徑15.1、底徑7厘米。

壺頂部有兩半環狀穿帶孔，前端有一獨角獸首流，
後部爲一捲沿短頸壺口，頸下有一半環形孔。

現藏遼寧省博物館。

白釉黑花葫蘆形倒灌水注壺

遼

遼寧阜新市出土。

高28.4厘米。

頂有一塔式鈕，龍形柄，管狀流，流上騎一人，底有一
孔連于壺內，下腹部刻仰蓮瓣紋一周。

現藏遼寧省博物館。

白釉雞冠壺（右圖）

遼

內蒙古阿魯科爾沁旗耶律羽之墓出土。

高30.5厘米。

平底，圓腹，頂部有衝天流和扁圓形提梁。

現藏內蒙古自治區阿魯科爾沁旗文物管理所。

白釉刻花雞冠壺

遼

高28、口徑3.2厘米。

壺兩面飾牡丹花紋和皮帶裝飾。

現藏遼寧省博物館。

白釉劃花凸蓮瓣紋瓶

遼

高27、口徑10厘米。

肩部飾弦紋三道，中腹部雕蓮瓣紋一圈。

現藏首都博物館。

白釉剔花梅瓶

遼

高29、口徑5厘米。

鼓腹圓肩，肩下到腹部用三條弦紋分爲兩段，

上段刻折帶紋，下段飾捲草紋。

現藏山西省大同市博物館。

白釉劃花梅瓶

遼

高38.5、口徑4厘米。

三條弦紋將瓶體分爲四段，肩部劃仰蓮瓣紋點綴小花，腹部飾寶相花，底部劃仰蓮瓣紋。

現藏山西省大同市博物館。

白釉剔粉牡丹紋梅瓶

遼

高39.3、口徑6.9厘米。

腹部飾剔花纏枝牡丹紋。

現藏遼寧省博物館。

白釉剔花長頸瓶

遼

內蒙古巴林右旗遼墓出土。

高52.8、口徑13.8厘米。

頸部飾一道弦紋，腹上部飾剔花牡丹紋。

現藏內蒙古自治區巴林右旗博物館。

白釉剔花長頸瓶

遼

遼寧法庫縣葉茂臺遼墓出土。

高46、口徑11.4厘米。

腹部剔刻大幅纏枝牡丹紋。

現藏遼寧省博物館。

白釉剔粉填黑牡丹花紋罐

遼

內蒙古喀喇沁旗出土。

高47.1、口徑24.8厘米。

肩部飾一圈捲雲紋，腹中部填黑，飾剔花纏枝牡丹，腹下部飾一圈魚鱗紋。

現藏內蒙古博物院。

龍泉務窯白釉葵口碟

遼
北京門頭溝區龍泉務村遼龍泉務窯址出土。
高3.8、口徑14.8厘米。
碟爲葵瓣形，唇口，圈足。
現藏首都博物館。

龍泉務窯白釉托盞

遼
北京永定門外南苑彭莊遼墓出土。
通高9.7、盞口徑11、托口徑13.5厘米。
托杯及托盤相連而成，仰蓮式托盤，通體施白釉。
現藏首都博物館。

醬釉鷄冠壺

遼

內蒙古阿魯科爾沁旗耶律羽之墓出土。

高29厘米。

平底，圓腹，頂端有管狀流和扁圓形提梁。

現藏內蒙古自治區阿魯科爾沁旗文物管理所。

醬釉蓋壺

遼

遼寧法庫縣出土。

高53厘米。

壺帶蓋，蓋上飾塔形鈕，頸至肩部飾三周凸弦紋。

現藏遼寧省博物館。

醬釉花鳥紋葫蘆形瓶

遼

內蒙古敖漢旗新惠鄉坤龍寶和遼墓出土。

高35.8、口徑2.8厘米。

瓶作葫蘆狀，上下腹部飾有暗花，繪荷花、水鳥等圖案。

現藏內蒙古自治區敖漢旗博物館。

汝窰青釉三足尊

北宋

高12.9、口徑18厘米。

尊身及足上均有凸起的弦紋，底部有五個小如芝麻的
支釘痕。

現藏故宮博物院。

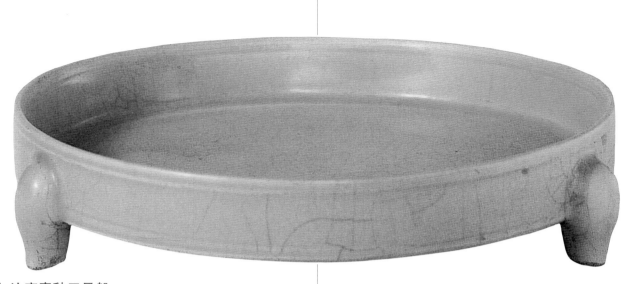

汝窑青釉三足盤

北宋

高3.6、口徑18.3厘米。

直口，平底，三足。盤底刻清乾隆皇帝御題詩一首。

現藏故宮博物院。

汝窑青釉盤

北宋

高3.5、口徑19.3厘米。

底有刻款"壽成殿皇后閣"，爲當時宮廷用瓷。

現藏故宮博物院。

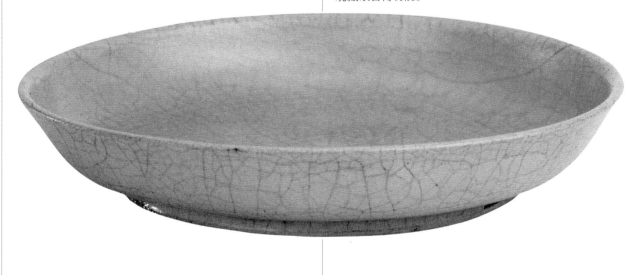

汝窰青釉盤

北宋

高3.2、口徑12.6、足徑9厘米。

大口，淺腹，圈足，底外壁有五個支燒痕。

現藏上海博物館。

汝窰青釉碗

北宋

高6.7、口徑17.1厘米。

撇口，深弧腹，圈足外撇。碗底刻清乾隆皇帝御題詩。

現藏故宮博物院。

汝窰青釉洗

北宋

高5.2、口徑16.7厘米。

直口微敞，矮圈足，足底邊無釉。

現藏中國國家博物館。

鈞窯月白釉出戟尊

北宋

高26.1、口徑22.1厘米。

器仿古銅器。上、中、下三部各有四道凸起扉棱。

現藏上海博物館。

鈞窰靛青釉尊

北宋

高22.7、口徑23.5厘米。

尊撇口，高頸，鼓腹，圈足，底有五孔。

通體施窰變鈞釉。

現藏中國國家博物館。

鈞窰玫瑰紫釉尊

北宋

高18.4、口徑20.1厘米。

器表釉色以玫瑰紫爲主，肩、頸部位泛天青色，内部則爲藍、紫相間的窰變釉。底部有五孔，并刻"六"字。

現藏故宮博物院。

鈞窯玫瑰紫釉葵花形花盆

北宋

高15.8、口徑22.8厘米。

葵花式六瓣花口，折沿，深腹，花瓣形圈足。底部有五孔，刻"七"字。

現藏故宮博物院。

鈞窰玫瑰紫釉海棠式花盆

北宋

高14.6、口徑24.5厘米。

花盆呈海棠式，四捲雲足，底有五孔。通體施窰變鈞釉。

現藏中國國家博物館。

鈞窰天藍釉六方花盆

北宋

高13.1厘米。

折沿，深腹，六足。裏外均施天藍釉，底刷醬釉，有六孔，刻"八"字。

現藏故宮博物院。

鈞窰天藍釉仰鐘花盆
北宋
高17、口徑23厘米。
撇口，深腹，圈足。底部有五孔，刻"六"字。
現藏故宮博物院。

鈞窰紫斑釉六角洗
北宋
高5.6、長18.6厘米。
長形六角，口沿外折，邊棱稍高，淺壁平底，六短足外
撇。器刻"十"字。
現藏廣東民間工藝博物館。

鈞窯月白釉鼓釘洗

北宋

高15、口徑26.3厘米。

敞口，外口及足下凸起鼓釘各一周，底承三如意頭足。

現藏故宮博物院。

鈞窯玫瑰紫釉鼓釘洗

北宋

高9.2、口徑24.3、足距16厘米。

敞口，底承三如意頭足，外口及足下飾凸起鼓釘各一周。

現藏故宮博物院。

鈞窰玫瑰紫釉蓮瓣洗

北宋

高6.2、口徑19、足距11厘米。

敞口，三雲頭足。以凹、凸綫構成六蓮瓣形。

現藏故宮博物院。

鈞窰玫瑰紫釉蓮瓣洗內底

定窑白釉龍首蓮紋净瓶

北宋

河北定州市净衆院塔基地宮出土。

高60.9厘米。

龍首短流，頸上部爲仰、覆蓮瓣紋，中部爲覆蓮紋相輪
圓盤，下部爲竹節紋。肩部飾覆蓮紋，下腹飾仰蓮紋。
現藏河北省定州市博物館。

定窯白釉刻花净瓶

北宋

河北定州市静志寺塔基地宫出土。

高25.1厘米。

瓶頂部作覆式漏頭狀，下接束腰長頸，下腹收斂，龍首流，圈足。肩、腹部分別飾覆、仰蓮瓣紋。

現藏河北省定州市博物館。

定窯白釉劃花直頸瓶

北宋

高22、口徑5.5、足徑6.4厘米。

平口外折，頸細長，球形瓶腹刻兩條盤捲的螭龍。瓶底刻"尚食局"三字。

現藏故宫博物院。

定窑白釉蓮瓣紋長頸瓶

北宋

河北定州市净衆院塔基地宫出土。

高17.3、口徑6厘米。

頸飾弦紋，肩飾菊紋，腹飾仰蓮紋三重。捲枝鈕，覆葉
紋鎏銀瓶蓋，圈足包鎏銀片。

現藏河北省定州市博物館。

定窑白釉刻花梅瓶

北宋

高45.3、口徑4.9厘米。

肩刻菊瓣紋，腹部刻纏枝牡丹紋，下部刻蕉葉紋。

現藏故宮博物院。

定窑白釉刻花梅瓶

北宋

高37.1厘米。

肩刻一周蔓草紋，腹部刻纏枝蓮花紋，下部刻蕉葉紋。

現藏故宮博物院。

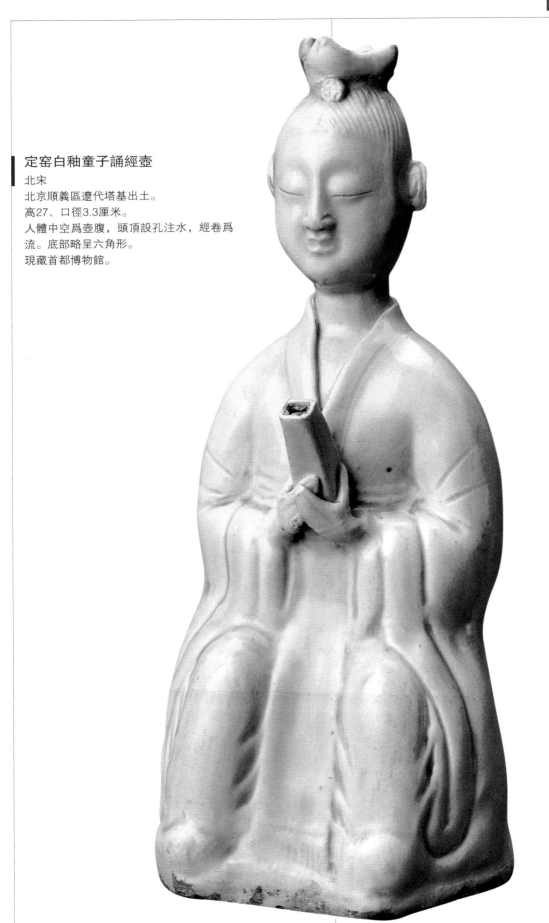

定窯白釉童子誦經壺

北宋

北京順義區遼代塔基出土。

高27、口徑3.3厘米。

人體中空爲壺腹，頭頂設孔注水，經卷爲
流。底部略呈六角形。

現藏首都博物館。

定窑白釉提梁壺

北宋

北京宣武區先農壇出土。

高15.3厘米。

壺身呈六棱瓜瓣形，提梁仿
藤編樣式，以貼花裝飾。

現藏首都博物館。

定窑白釉蓮紋碗

北宋

河北定州市静志寺塔基地宮出土。

高8.3、口徑19.5厘米。

碗外壁飾兩重蓮瓣紋，足内劃行書"官"字款。

現藏河北省定州市博物館。

定窯白釉刻花折腰碗
北宋
高5.5、口徑16.8厘米。
碗內、外壁和裏心飾刻蓮花紋和蓮葉紋。口部包鑲銅口。
現藏故宮博物院。

定窯白釉刻花大碗
北宋
高15.6、口徑32.5厘米。
外壁刻蓮瓣紋，內壁飾雙魚水藻和水波紋。
現藏故宮博物院。

定窰白釉蓋罐（右圖）

北宋

北京順義區凈光舍利塔基出土。

高11.5、口徑5.5厘米。

蓋與罐肩部凸刻覆菊瓣紋飾，腹部浮雕三重仰蓮瓣紋。底足內刻"官"字款。

現藏首都博物館。

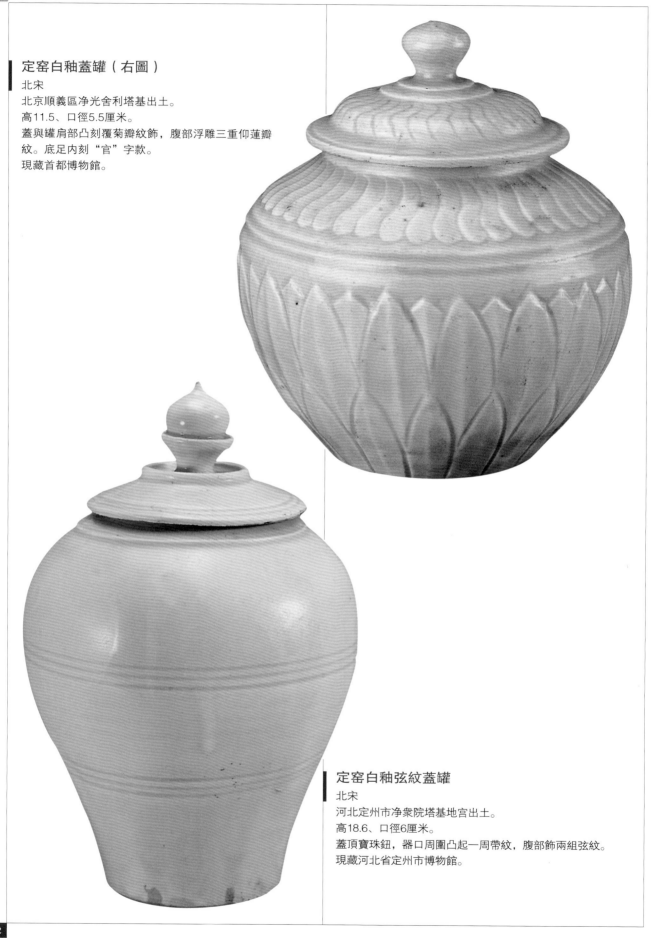

定窰白釉弦紋蓋罐

北宋

河北定州市凈衆院塔基地宮出土。

高18.6、口徑6厘米。

蓋頂寶珠鈕，器口周圍凸起一周帶紋，腹部飾兩組弦紋。

現藏河北省定州市博物館。

定窑白釉印花方碟

北宋

北京密雲縣遼冶仙塔基出土。

高2.7、口徑10.6厘米。

花瓣狀口，碟內底飾印花四瓣
四葉花紋。

現藏首都博物館。

定窑白釉花式口高足盤

北宋

河北定州市靜志寺塔基地宮出土。

高10.3、口徑14.7厘米。

盤爲五曲尖瓣花式口，斜腹內飾五瓣蓮花，高
足飾弦紋。

現藏河北省定州市博物館。

定窰白釉托盞
北宋
高6.5、盞口徑8.6厘米。
盞外沿及托內沿印一周回紋。托口沿無釉，鑲包銅口。
現藏故宮博物院。

定窰白釉弦紋尊
北宋
高11.3、口徑15.9厘米。
圓桶式，腹部飾六道凸弦紋，下承三足。
現藏天津博物館。

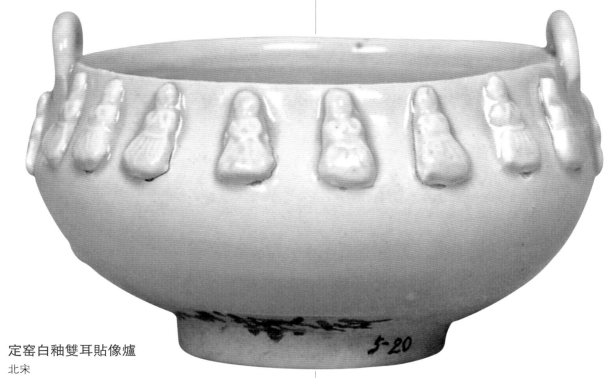

定窯白釉雙耳貼像爐

北宋

河北定州市靜志寺塔基地宮出土。

高6.8、口徑9.5厘米。

爐呈鉢形，口部對稱貼附兩個環行雙耳，

圍繞口部堆塑人物像十六尊。

現藏河北省定州市博物館。

定窯白釉爐

北宋

北京豐臺區遼王澤墓出土。

高12.6、口徑15.3厘米。

口沿寬平，腹下折收，覆盤狀高圈足。

現藏首都博物館。

定窯白釉五獸足熏爐

北宋

河北定州市静志寺塔基地宮出土。

高18、口徑10.7厘米。

蓋頂有塔式鏤孔鈕，爐身下有五個獸足，下接環形座。

現藏河北省定州市博物館。

定窯白釉劃花渣斗

北宋

高7.4、口徑17.8厘米。

器上部形狀如盤，裏面有兩組刻花。下部呈盒狀。

現藏故宮博物院。

定窯白釉鏤雕殿宇人物枕

北宋

高13.6、長18.4厘米。

枕面作如意頭形，其上飾印花纏枝花卉紋，下承殿宇狀平座，殿前門關閉，後門半開，門口立一人。

現藏上海博物館。

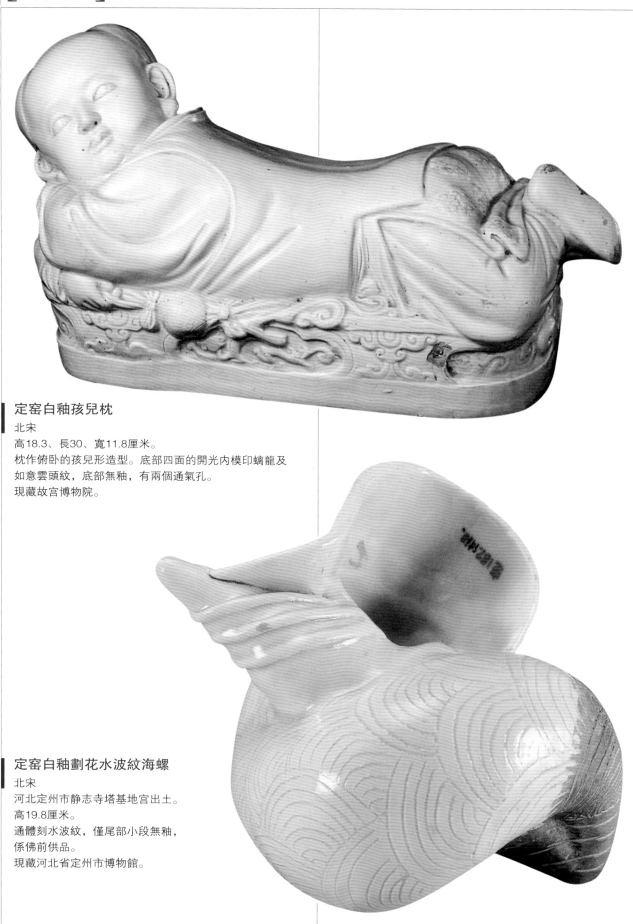

定窯白釉孩兒枕

北宋

高18.3、長30、寬11.8厘米。

枕作俯臥的孩兒形造型。底部四面的開光內模印螭龍及如意雲頭紋，底部無釉，有兩個通氣孔。

現藏故宮博物院。

定窯白釉劃花水波紋海螺

北宋

河北定州市靜志寺塔基地宮出土。

高19.8厘米。

通體刻水波紋，僅尾部小段無釉，係佛前供品。

現藏河北省定州市博物館。

定窯白釉褐彩牡丹紋瓶

北宋

高17.3厘米。

肩部和腹下部飾一周蓮瓣紋，腹部飾纏枝牡丹紋。

現藏日本大阪市立東洋陶瓷美術館。

定窯剔花填褐彩水波紋枕

北宋

高9.6、長16.1厘米。

枕面開光內飾剔花菱形水波紋，枕側面飾剔花忍冬紋。

現藏天津博物館。

定窯醬釉蓋缸

北宋

高10.3、口徑11.5厘米。

蒂式鈕器蓋。器外壁施醬色釉，器內施白釉。

現藏首都博物館。

定窯醬釉蓋托

北宋

高7、蓋口徑6.3厘米。

蓋斂口，下收腹，托圈足微外撇。

現藏故宮博物院。

耀州窰青釉刻花牡丹紋瓶

北宋
高24.2、口徑5厘米。
通體飾刻花纏枝牡丹紋。
現藏中國國家博物館。

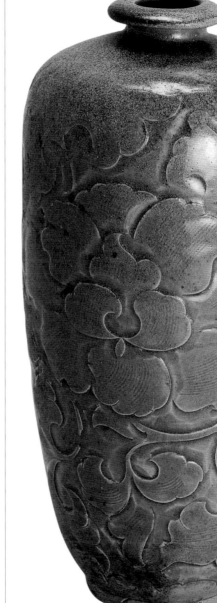

耀州窰青釉刻花葡萄紋瓶

北宋
陝西銅川市耀州窰遺址出土。
高36.7、口徑10.8厘米。
肩部飾一圈忍冬紋，腹上部和下部分別飾兩層尖角覆、
仰蓮紋，腹中部飾纏枝葡萄紋。
現藏陝西省考古研究院。

耀州窑青釉刻花牡丹纹瓶

北宋

高19.9、口径6.9厘米。

肩部刻三道弦纹，腹身饰刻花缠枝牡丹花纹，
腹下部饰两层仰莲纹。

现藏故宫博物院。

耀州窑青釉刻花牡丹纹瓶

北宋

高16.7厘米。

小口，鼓腹，平底。腹部饰大朵缠枝牡丹纹。

现藏日本大阪市立东洋陶瓷美术馆。

耀州窯青釉刻花牡丹紋長頸瓶

北宋

甘肅華池縣李良子出土。

高27.2、口徑5.4厘米。

頸部飾兩層仰覆蓮瓣紋，腹部飾纏枝牡丹紋。

現藏甘肅省慶陽市博物館。

耀州窯青釉刻花瓜棱紋瓶

北宋

高22.5、口徑9厘米。

肩部飾雙綫弦紋，腹部飾凹凸瓜棱紋。

現藏山西省大同市博物館。

耀州窰青釉堆螭龍刻花瓷瓶

北宋

高23、口徑6.7厘米。

喇叭形口，長頸部有對稱雙繫，肩部堆塑螭龍兩條，瓜形腹，腹飾蓮花和水波紋。

現藏南京博物院。

耀州窰青釉刻花雙耳瓶

北宋

高24.5、口徑5.5厘米。

腹上部飾四道凸弦紋，下部飾蓮花紋。

現藏故宮博物院。

耀州窯青釉刻花牡丹紋瓶
北宋
高48.4、口徑7.5厘米。
肩部和腹部飾纏枝牡丹紋，下腹部飾雙重蓮瓣紋。
現藏上海博物館。

耀州窯青釉堆塑龍紋瓶
北宋
陝西彬縣出土。
高18.1、口徑6.4厘米。
盤口，肩部置雙耳，耳旁堆塑鏤空雙龍。
現藏陝西歷史博物館。

耀州窰青釉印花菊花紋碗

北宋

高8.5、口徑20厘米。

碗心飾一朵團菊，圍繞着六朵纏枝菊。外壁刻直綫紋。

現藏故宮博物院。

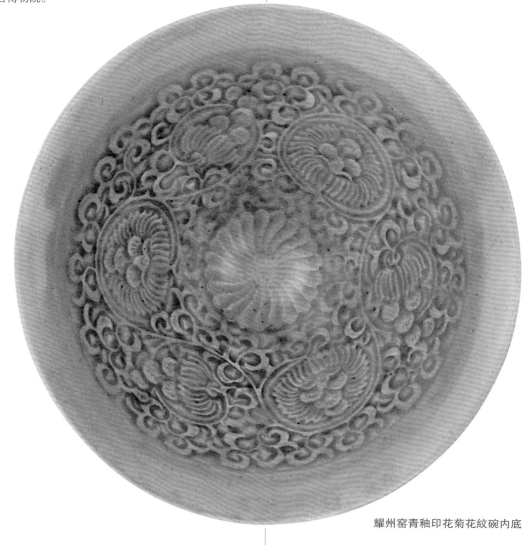

耀州窰青釉印花菊花紋碗內底

耀州窯青釉刻花雲鶴紋碗
北宋
高7.2、口徑20.2厘米。
碗內飾雙鶴及雲紋。
現藏首都博物館。

耀州窯青釉刻花牡丹紋碗
北宋
高7.5、口徑23.3厘米。
碗內刻折枝牡丹，碗外壁刻
牡丹花葉。
現藏甘肅省環縣博物館。

耀州窯青釉刻花嬰戲紋碗
北宋
高7.2、口徑18.6厘米。
碗內刻一嬰兒戲于花草之間。
現藏故宮博物院。

耀州窯青釉印花奔鹿紋碗
北宋
高4.8、口徑18.2厘米。
碗內飾兩隻奔鹿，鹿口銜牡丹。
周圍飾花卉圖案。
現藏甘肅省博物館。

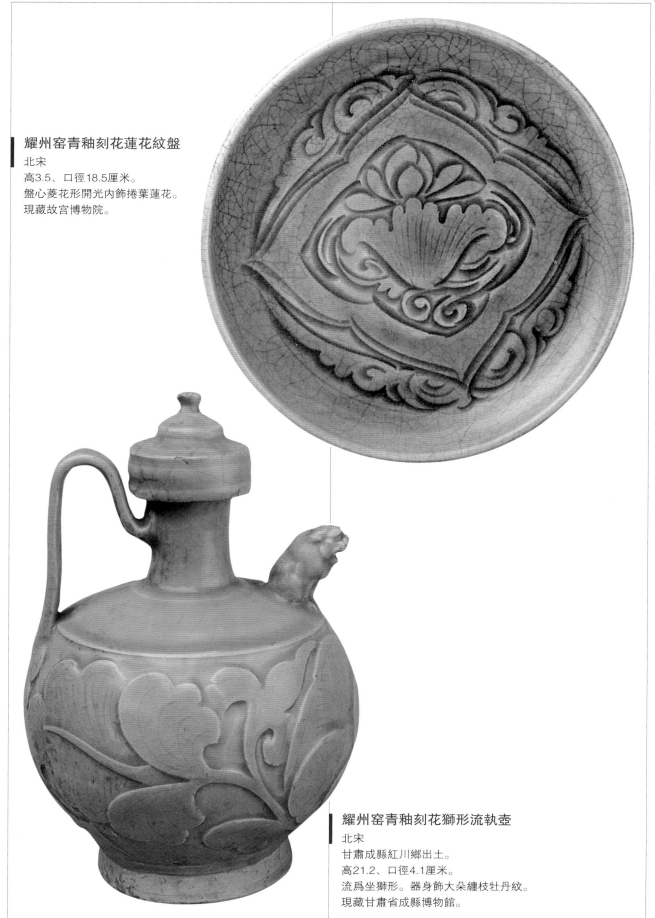

耀州窰青釉刻花蓮花紋盤
北宋
高3.5、口徑18.5厘米。
盤心菱花形開光內飾捲葉蓮花。
現藏故宮博物院。

耀州窰青釉刻花獅形流執壺
北宋
甘肅成縣紅川鄉出土。
高21.2、口徑4.1厘米。
流爲坐獅形。器身飾大朵纏枝牡丹紋。
現藏甘肅省成縣博物館。

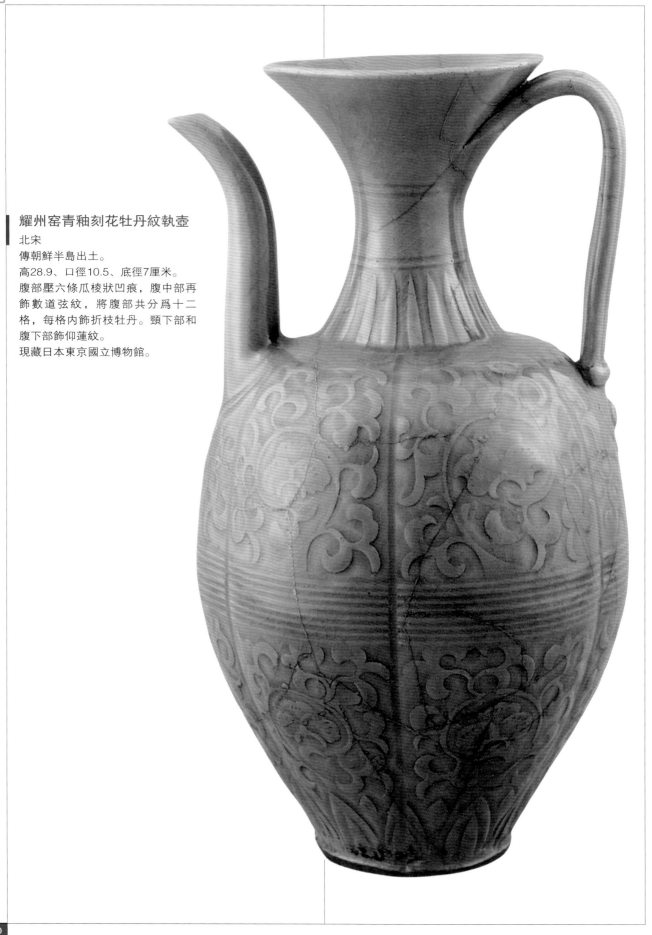

耀州窰青釉刻花牡丹紋執壺
北宋

傳朝鮮半島出土。

高28.9、口徑10.5、底徑7厘米。

腹部壓六條瓜棱狀凹痕，腹中部再飾數道弦紋，將腹部共分爲十二格，每格內飾折枝牡丹。頸下部和腹下部飾仰蓮紋。

現藏日本東京國立博物館。

耀州窑青釉提梁倒裝壺

北宋

陝西彬縣出土。

高19厘米。

無蓋，無口，母子獅狀流，提梁爲一鳳凰。底部有一注水用五瓣梅花孔，故名"倒裝壺"，壺放正後，滴水不漏。壺腹部飾纏枝牡丹花。

現藏陝西歷史博物館。

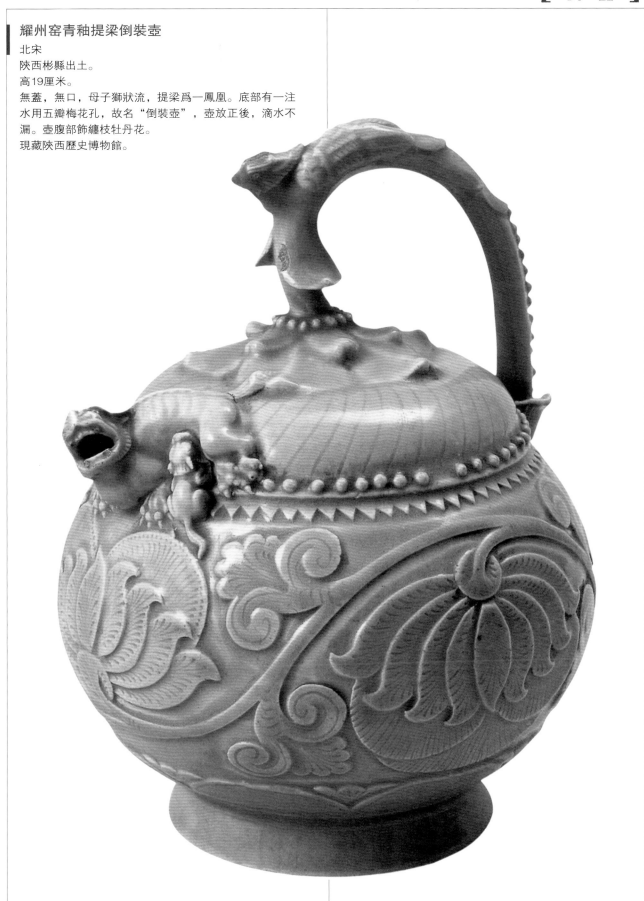

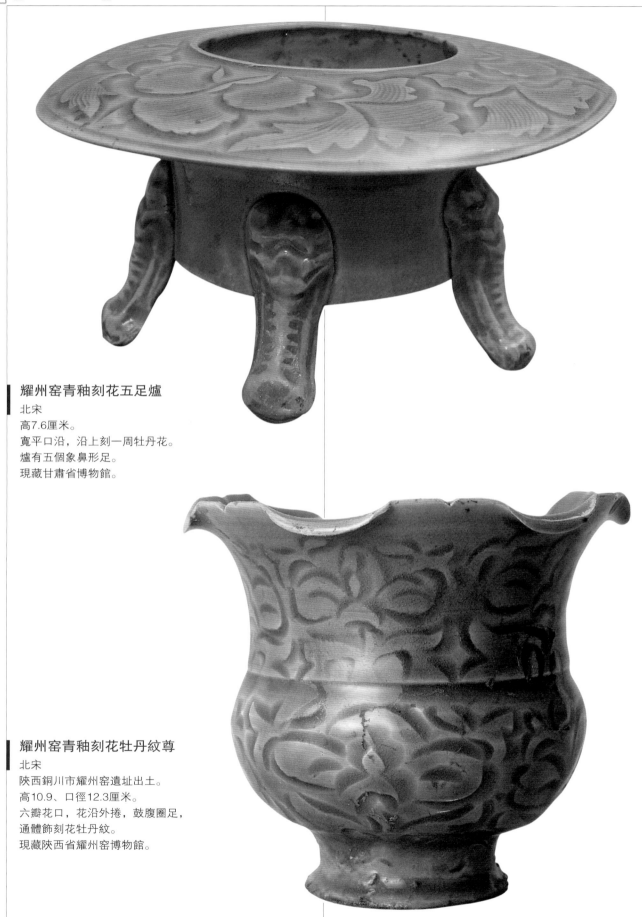

耀州窰青釉刻花五足爐
北宋
高7.6厘米。
寬平口沿，沿上刻一周牡丹花。
爐有五個象鼻形足。
現藏甘肅省博物館。

耀州窰青釉刻花牡丹紋尊
北宋
陝西銅川市耀州窰遺址出土。
高10.9、口徑12.3厘米。
六瓣花口，花沿外捲，鼓腹圈足，
通體飾刻花牡丹紋。
現藏陝西省耀州窰博物館。

耀州窑青釉刻花鳳草紋枕
北宋
高10.7厘米。
枕爲五曲花瓣形。枕面中央爲五瓣開光，内飾鳳鳥飛于花草之中，開光外爲一周纏枝牡丹紋。枕四周爲五組大朵牡丹花紋。
現藏日本東京静嘉堂文庫美術館。

耀州窑青釉印花多子盒
北宋
甘肅華池縣李良子出土。
高4.9、口徑12.5厘米。
蓋面模印兩朵菊花。盒内置三個小圓杯。
現藏甘肅省慶陽市博物館。

耀州窯青釉人形執壺

北宋
高29厘米。
人體爲壺身，中空。身後有曲柄，頭有孔爲壺口，
雙手捧壺流。
現藏故宮博物院。

磁州窯白地黑花梅瓶

北宋
高39、口徑4、底徑10厘米。
小口有蓋，細長腹，腹部繪折枝牡丹紋兩組。
現藏故宮博物院。

磁州窑白釉黑花梅瓶
北宋
河南镇平县出土。
高49.8厘米。
肩部及腹上部饰黑彩捲草紋，腹下部繪
牡丹紋及蓮瓣紋。
現藏河南博物院。

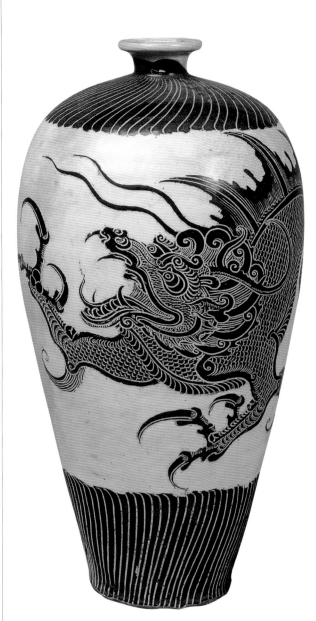

磁州窑白釉黑花龍紋瓶

北宋

高40.8厘米。

腹部繪一條張牙舞爪的龍。

現藏日本神戶白鶴美術館。

磁州窑白地黑花梅瓶

北宋

高38、口徑5、底徑9厘米。

肩部爲單綫蓮瓣紋，下爲弦紋。腹部繪纏枝花卉紋，

下部飾數道弦紋。

現藏故宫博物院。

磁州窰綠釉黑花魚紋瓶

北宋

高38.5、口徑3、足徑9厘米。

瓶上、下部分別繪弦紋間水波紋，腹部飾水草游魚紋。

現藏故宮博物院。

磁州窰綠釉黑花梅瓶

北宋

高32、口徑3厘米。

肩部飾弦紋和水波紋，腹部飾四組纏枝花，腹下部飾弦紋和花草紋。

現藏故宮博物院。

磁州窯綠釉黑花牡丹紋瓶

北宋

高35厘米。

頸、肩、腹部飾大朵折枝牡丹花。

現藏日本大阪市立東洋陶瓷美術館。

磁州窯白釉黑花鏡盒

北宋

高12.2、口徑19.3厘米。

蓋面飾蓮花紋，側壁繪如意捲草紋。蓋鈕兩側分書
"鏡"、"盒"二字，標明器物用途。

現藏南京博物院。

磁州窯白地黑花孩兒垂釣紋枕

北宋

河北邢臺市曹演莊出土。

高11.8、長29厘米。

枕面中心內凹，繪童子垂釣圖。

現藏河北省博物館。

磁州窑白地黑花狮纹枕

北宋

高10、面20.5–18.3、底21.5–15.4厘米。

枕面绘狮子戏球图。

现藏故宫博物院。

磁州窑白地黑花虎纹枕

北宋

高9.4、长25.4厘米。

枕面绘一虎卧于草丛中，枕侧绘缠枝花草。

现藏故宫博物院。

磁州窰白地剔粉填黑花牡丹紋枕
北宋
高10、長25厘米。
枕面以黑釉爲地，飾白釉折枝牡丹紋。
現藏故宮博物院。

磁州窰白地黑花花卉紋枕
北宋
高11、長28.5厘米。
枕面繪纏枝花果，枕側繪纏枝花草。
現藏故宮博物院。

磁州窯白地黑花人物故事紋枕

北宋

高14.5、長39.5厘米。

枕面開光內繪山水人物圖，側壁飾花鳥紋。底印
陽文"古相"款記。

現藏故宮博物院。

磁州窯珍珠地劃花枕

北宋

高13.5、長28厘米。

枕面在珍珠地紋中間刻雙鉤"齊壽"二字和捲草紋，
底刻"大吉"二字。

現藏首都博物館。

磁州窯蓮花紋如意形枕

北宋

高19.5、長30.5厘米。

枕如意雲頭狀，枕面內凹出沿，飾白地黑色蓮花紋。

現藏上海博物館。

磁州窯白地黑花如意形枕
北宋
高16.9、長30、寬30厘米。
枕呈如意形，枕面繪折枝雙花卉。
現藏廣東省廣州南越王墓博物館。

磁州窯刻花如意形枕
北宋
高11.7、長26.3、寬25厘米。
枕作如意雲頭狀，枕面內凹出沿，枕面飾蓮花紋。
現藏遼寧省旅順博物館。

磁州窰刻花如意形枕

北宋

高17.3、長30.3、寬28.3厘米。

枕作如意雲頭狀。枕面綫刻雲紋、花草紋和幾何紋等。
現藏首都博物館。

當陽峪窑白地剔花牡丹紋罐

北宋

高33.9、口徑16.5厘米。

罐腹部飾剔花花葉紋和纏枝牡丹等圖案。

現藏故宮博物院。

當陽峪窑白釉刻花罐

北宋

高26.3、口徑14厘米。

罐腹中部飾捲草紋，上下襯以回紋、方格紋和正反三角紋。

現藏故宮博物院。

當陽峪窯剔花牡丹紋梅瓶

北宋

河南湯陰縣出土。

高34.5、口徑6厘米。

腹部飾剔花纏枝牡丹紋。

現藏河南博物院。

當陽峪窑剔花花葉紋瓶

北宋

高27、口徑2.5厘米。

肩部飾捲草紋，腹部主題紋飾爲一周花葉紋和上下兩周方格三角紋。現藏故宫博物院。

當陽峪窑絞胎小罐

北宋

高9、口徑3.6厘米。

整器用白褐兩色泥相絞，産生仿木紋的自然花紋。現藏故宫博物院。

扒村窑白地黑花花卉纹盆

北宋

高11.2、口径29厘米。

盆心饰一朵梅花，外绕一周莲花与荷叶相间纹样，内壁
饰十一朵莲瓣，盆沿饰十二朵梅花。

现藏故宫博物院。

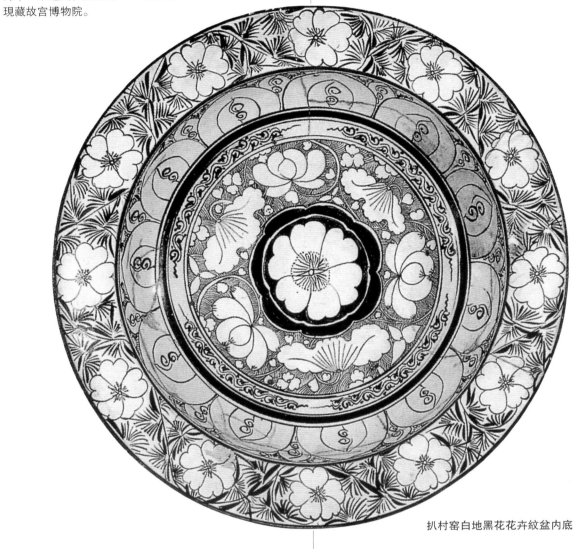

扒村窑白地黑花花卉纹盆内底

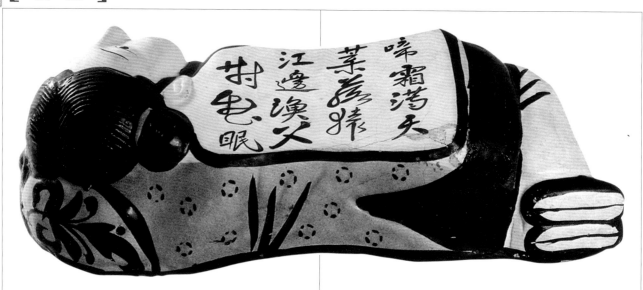

扒村窯臥童詩句枕

北宋

高11、長39.3厘米。

枕爲孩童側臥狀，枕面黑彩題詩句。

現藏上海博物館。

鈞窯天藍釉三足爐

北宋

河南禹州市黃莊出土。

高13、口徑14厘米。

鼓腹，下承三足。

現藏河南博物院。

鈞窑月白釉紫斑蓮花形碗
北宋
高4.8、口徑9.5厘米。
碗身爲十瓣蓮花形。施月白色底釉，點綴着紫色彩斑。
現藏故宮博物院。

鈞窑月白釉碗
北宋
河南禹州市黃莊窖藏出土。
高10.5、口徑21.5、足徑6.1厘米。
敞口，深腹，小圈足。
現藏河南博物院。

钧窑天蓝釉莲花式注碗

北宋

辽宁建平县三家子乡出土。

高13.5、口径18.9、底径9.1厘米。

八曲莲花式口，花瓣尖外撇。

现藏辽宁省博物馆。

钧窑天蓝釉紫红斑罐

北宋

高9.2、口径6.3厘米。

施天蓝釉，器身现紫红斑两块。

现藏上海博物馆。

越窯青釉鏤孔香熏

北宋

高8、口徑9.3厘米。

蓋鏤刻捲草紋，合口處兩端飾水
波紋，腹下部刻兩層蓮瓣紋。

現藏江蘇省常州博物館。

越窯青釉蟾形水盂

北宋

高7.1、蟾蜍長10厘米。

蟾蜍立于荷葉形托盤之上，背上
一圓形注水孔。

現藏浙江省慈溪市博物館。

越窯青釉蓮花形托盤

北宋

浙江上虞市浦閘總幹渠出土。

高7.2、底徑7.1厘米。

器形似蓮花倒置于盤中，花瓣爲圈足，足底中間有一孔。中間盤爲寬唇花瓣口，飾水草紋及弦紋一周，口沿下部有弦紋數道。

現藏浙江省上虞市文物管理委員會。

越窯青釉刻花牡丹紋蓋盒

北宋

江蘇常州市勞動東路出土。

高5.5、口徑13厘米。

蓋面飾牡丹紋。

現藏江蘇省常州博物館。

龍泉窑灰白釉盤口雙繫長頸瓶

北宋

浙江龍泉市榮豐鄉墩頭村出土。

高40.5、腹徑17、口徑10.5、底徑8.6厘米。

瓶蓋如蓮池，鈕作蓮蓬狀，長細頸，頸部有三道弦紋，肩有雙繫，瓶身飾兩周皺叠紋。

現藏浙江省龍泉市博物館。

龍泉窑青釉刻花帶蓋五管瓶

北宋

高23、口徑6.4、底徑6.4厘米。

盔狀瓶蓋，鈕作吠犬形，肩部有五個筒形短管，鼓腹，圈足。蓋面刻花瓣紋，肩部刻捲草紋和蓮瓣紋，腹部飾纏枝牡丹紋和蓮瓣紋。

現藏廣東省博物館。

龍泉窯青釉四管瓶

北宋

高26.2、口徑8.4厘米。

蓋面立一獸鈕，器身飾波浪紋和仰蓮瓣紋。

現藏北京大學賽克勒考古與藝術博物館。

龍泉窯青釉五管瓶

北宋

浙江龍泉市塔石鄉北宋墓出土。

高27.9、口徑7.5厘米。

蓋爲覆盤式，葫蘆形鈕，瓶身上部置五管。

瓶身飾斜條紋和仰蓮瓣紋。

現藏浙江省龍泉市博物館。

青釉執壺

北宋

浙江上虞市謝橋挖河出土。

高22.3、口徑12.5厘米。

腹部飾兩朵對稱纏枝花紋，流下及把下飾葉狀紋。

現藏浙江省上虞市文物管理委員會。

龍泉窰青釉五管瓶

北宋

浙江龍泉市榮豐鄉墩頭村出土。

高31.8、口徑8、底徑7.9厘米。

蓋鈕作雄鷄狀，腹上部爲網格紋和篦紋，下部爲蓮瓣紋和花卉紋。五片樹葉貼于瓶身，爲五管的一種變體。

現藏浙江省龍泉市博物館。

青釉蓋罐

北宋

浙江義烏市出土。

高18.6、口徑9.3、底徑9.8厘米。

子母口，頸肩部有對稱四繫。腹部飾三層仰蓮瓣紋，蓋面陰刻蓮瓣紋，鈕殘缺。

現藏浙江省義烏市博物館。

青釉刻花粉盒

北宋

浙江海寧市硤石東山宋墓出土。

高5.6、口徑11.8厘米。

盒面飾纏枝花卉紋。

現藏浙江省海寧市博物館。

青白釉刻花玉壺春瓶

北宋

高25.1、口徑8.4、底徑7.8厘米。

頸下繪弦紋三道，肩部飾幾何狀圖案，腹中部飾水波紋
和蓮荷紋，下腹部及圈足滿飾水波紋。

現藏江西省高安市博物館。

青白釉劃花瓶（右圖）
北宋
高26.6厘米。
瓶身刻劃纏枝花紋，上下各有弦紋一道。
現藏故宮博物院。

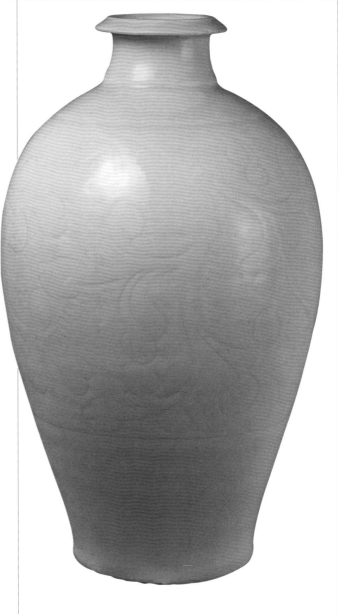

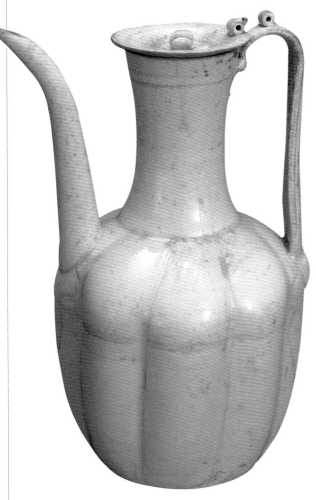

青白釉瓜棱執壺
北宋
高23.5、口徑5.7厘米。
花蕊狀蓋鈕，瓜棱腹。
現藏首都博物館。

青白釉瓜形執注

北宋

江西樂平市徵集。

高14.1、口徑2.3厘米。

六瓣瓜棱腹，上有瓜蒂狀小蓋，前有細流，流基處有垂
花，另一側有執把。

現藏江西省樂平市博物館。

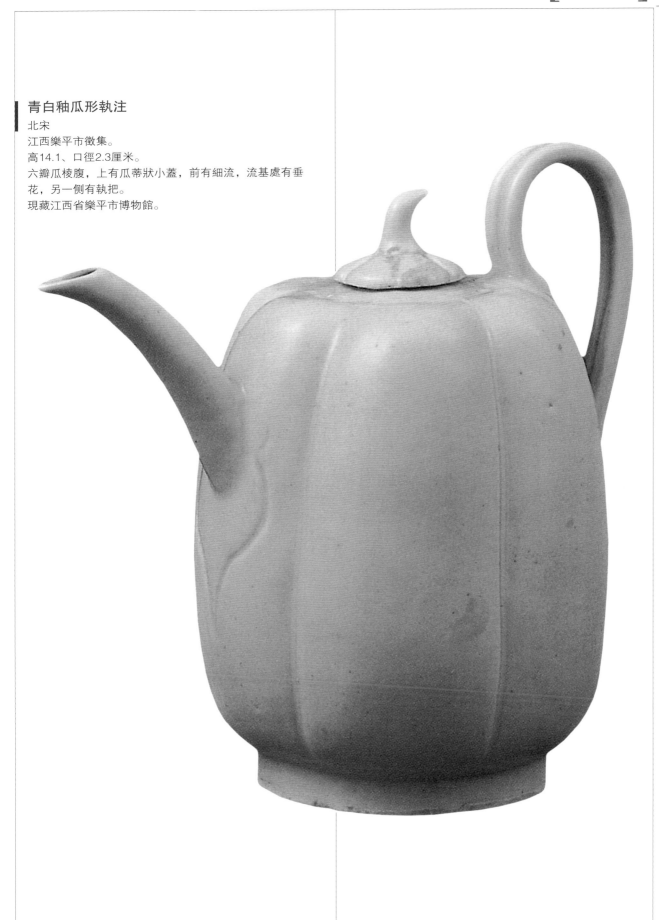

青白釉注壺温碗

北宋

安徽宿松縣北宋墓出土。

壺高20.2、碗高13.9厘米。

注壺小口，蓋上立一獅，長流，曲柄。下爲仰蓮
式碗，蓮瓣外飾如意紋。圈足飾一周凸蓮瓣紋。
現藏安徽省博物館。

青白釉印花執壺

北宋

遼寧法庫縣葉茂臺遼墓出土。

高10.4厘米。

肩、腹飾印花纏枝花紋，珍珠紋地。
現藏遼寧省博物館。

青白釉托盞

北宋

江西南昌市徵集。

通高6.6、盞口徑10.7、托底徑8厘米。

托爲寬邊花口淺盤狀，碟上置花口弧腹盞。

現藏江西省博物館。

青白釉暗花渣斗

北宋

江蘇常州市宋墓出土。

高10.8、口徑15.2厘米。

器腹部飾暗花纏枝牡丹紋。

現藏江蘇省常州博物館。

[瓷 器]

景德鎮窰青白釉鏤孔香熏
北宋
高16.5、腹徑15.3厘米。
器作上下對合的球形。器外滿施
青白釉，內壁無釉。熏蓋布滿
"人"字形鏤孔。
現藏江蘇省揚州博物館。

景德鎮窰青白釉雙獅枕
北宋
長17.5、面徑15.5厘米。
枕面爲如意頭形，中間圓雕雙
獅相擁滾抱嬉戲。
現藏故宮博物院。

白釉六管瓶

北宋

高40.7、口徑4.3厘米。

蓮瓣狀口，頸部飾數道凸弦紋，

肩部置對稱六管。

現藏上海博物館。

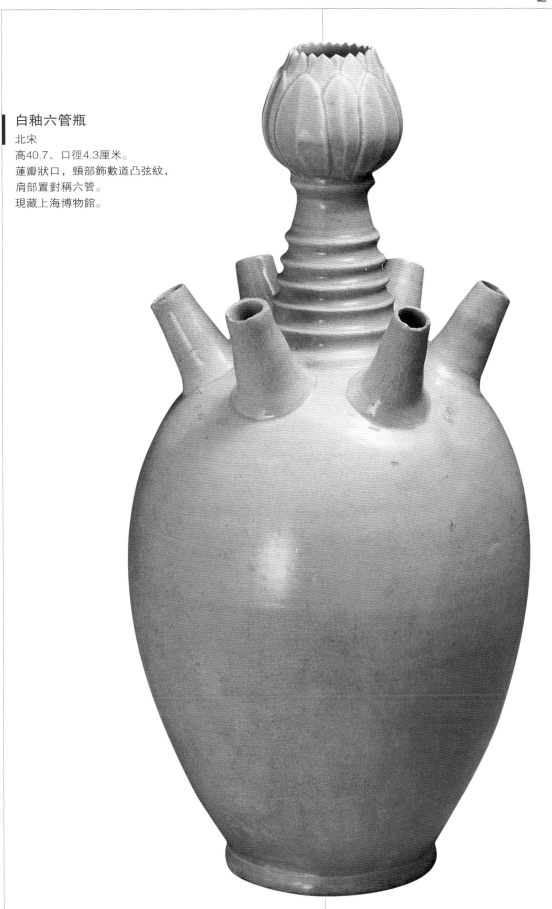

遼北宋西夏金南宋（公元九一六年至公元一二七九年）

白釉鏤孔熏爐

北宋

山西太原市金勝村出土。

高11.6厘米。

爐體爲高足碗狀，上覆半橢圓形蓋，鏤蓮瓣形孔。

現藏山西博物院。

灰白釉盤口雙繫長頸瓶

北宋

浙江龍泉市徵集。

高36.5、口徑11.6、底徑9.5厘米。

肩部有雙繫。頸部飾三道弦紋，瓶蓋暗刻蓮瓣紋，瓶身暗刻花卉紋。

現藏浙江省龍泉市博物館。

白釉褐彩刻花六角枕

北宋

高10.4、長19.9厘米。

枕面飾六角邊框，內點十二個褐彩花瓣紋，
側壁剔刻菊花和蘭草紋。

現藏江蘇省揚州博物館。

醬釉鷓鴣斑盞

北宋

高4.9、口徑12.4厘米。

白胎，醬色釉，內壁布滿醬紅色鷓鴣斑。

現藏北京大學賽克勒考古與藝術博物館。

黑釉剔粉雕劃花扁壺

西夏

寧夏海原縣出土。

高34厘米。

肩有雙繫，扁腹正背兩面作矮圈足，
器身剔刻開光折枝牡丹紋。

現藏寧夏博物館。

褐釉剔花罐
西夏
內蒙古伊金霍洛旗納林塔出土。
高21.5、口徑11厘米。
腹部飾剔花牡丹紋。
現藏內蒙古博物院。

黑釉剔花牡丹紋罐
西夏
高26.5、口徑20.5厘米。
腹部飾剔花纏枝牡丹紋。
現藏甘肅省博物館。

黑釉剔花牡丹紋罐（右圖）

西夏

青海湟中縣白崖村出土。

高44.8厘米。

罐肩部剔刻牡丹葉紋，腹部剔刻三朵牡丹紋。

現藏青海省湟中縣博物館。

黑釉剔花牡丹紋六繫罐

西夏

高58.5厘米。

肩部有六繫，繫間梯形開光內飾折枝牡丹紋。腹部菱形開光內飾剔花折枝牡丹紋，開光外爲牡丹葉和水波紋。

現藏甘肅省博物館。

白釉剔花牡丹紋罐

西夏
高40.9、口徑14.4厘米。
肩部刻劃兩周捲草紋，腹部飾剔花纏枝牡丹紋。
現藏甘肅省博物館。

黑釉劃花罐

西夏
內蒙古伊金霍洛旗出土。
高29、口徑14厘米。
腹部刻劃纏枝花卉紋和捲草紋。
現藏內蒙古博物院。

褐釉剔粉雕劃花紋瓶

西夏

内蒙古伊金霍洛旗紅慶鄉西夏窖藏出土。

高39.5厘米。

腹部兩個對稱開光内飾剔花折枝花卉紋，

下部刻劃一鹿紋。

現藏内蒙古自治區鄂爾多斯博物館。

定窰白釉瓜棱水注

金

北京海淀區南辛莊2號墓出土。

高15.6厘米。

蘑菇狀蓋，葫蘆身，下腹飾瓜棱。

現藏北京市海淀區文物管理所。

黑釉剔粉雕劃牡丹紋瓶

西夏

高38厘米。

腹部一面開光內飾剔花折枝牡丹，開光外爲海水紋。

另一面飾折枝牡丹和纏枝花卉。

現藏故宮博物院。

定窯白釉印花雲龍紋盤

金

高4.8、口徑23.2厘米。

盤內飾印花雲龍紋及連續雲紋，鑲包銅口。

現藏上海博物館。

定窯白釉印花雲龍紋盤內壁

定窑白釉劃花盤

金
高4、口徑18.7厘米。
鑲包銅口。盤心劃荷花紋。
現藏故宮博物院。

定窑白釉印花纏枝牡丹
菊瓣盤

金
河北曲陽縣恒州鎮西河流出土。
高1.8、口徑15厘米。
口沿飾雙層葵花瓣一周，腹飾粗紋菊
瓣一周，通體飾牡丹紋。
現藏河北省曲陽縣文物管理所。

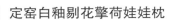

定窯白釉剔花擎荷娃娃枕

金

高17、長22.5厘米。

枕面剔劃纏枝牡丹紋，填以褐黃色釉。

現藏廣東省廣州南越王墓博物館。

定窯白釉印刻花赭彩枕

金

高11.5、長24.6厘米。

元寶形枕，枕面中間剔刻褐彩牡丹花，

枕側模印童子及纏枝蓮紋。

現藏河北省定州市博物館。

定窯醬釉印花碗

金

內蒙古奈曼旗白音昌出土。

高5、口徑17厘米。

內壁飾六組印花折枝花卉。

現藏吉林省博物院。

遼北宋西夏金南宋（公元九一六年至公元一二七九年）

定窯褐釉劃花魚藻紋匜

金

吉林前郭爾羅斯蒙古族自治縣出土。

高6、口徑17厘米。

器外壁施褐釉，器內施白釉。內底刻劃魚藻紋。

現藏吉林省博物院。

定窯綠釉如意雲頭形枕

金

北京海淀區南辛莊2號墓出土。

高15.5、長27厘米。

黃白胎，翠綠色釉。枕面劃牡丹紋。

現藏北京市海淀區文物管理所。

耀州窯青釉印花三足爐

金

陝西藍田縣出土。

高27.3、口徑20厘米。

口沿邊貼一對長方形豎耳。器腹堆貼模印的變形夔紋。

現藏陝西歷史博物館。

耀州窑青釉印花纏枝蓮紋香爐

金

內蒙古林西縣出土。

高17.1、口徑19.5厘米。

肩部飾回紋，鼓腹上繪纏枝蓮紋，下承三獸足。

現藏內蒙古博物院。

耀州窑青釉鋬沿洗

金

北京通州區出土

高4、口徑11厘米。

口沿一側附有一月牙形鋬耳。

現藏首都博物館。

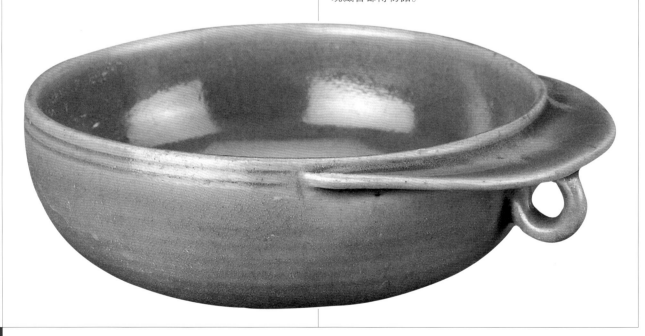

耀州窯青釉荷葉形蓋罐

金

高12.9、口徑7.5厘米。

器蓋如倒扣的荷葉，蓋沿有六處內捲。

現藏上海博物館。

磁州窯白釉剔花罐

金

內蒙古喀喇沁旗出土。

高46.2、口徑25、底徑22厘米。

腹部飾纏枝牡丹紋，下飾仰蓮瓣紋。

現藏內蒙古自治區赤峰市博物館。

磁州窯白釉黑花花口長頸瓶

金

河北磁縣觀臺磁州窯址出土。

高49.6、口徑11.5厘米。

頸部至腹部飾纏枝芍藥紋，下腹飾菊瓣紋，

足部飾覆蓮瓣紋。

現藏河北省磁縣文物保管所。

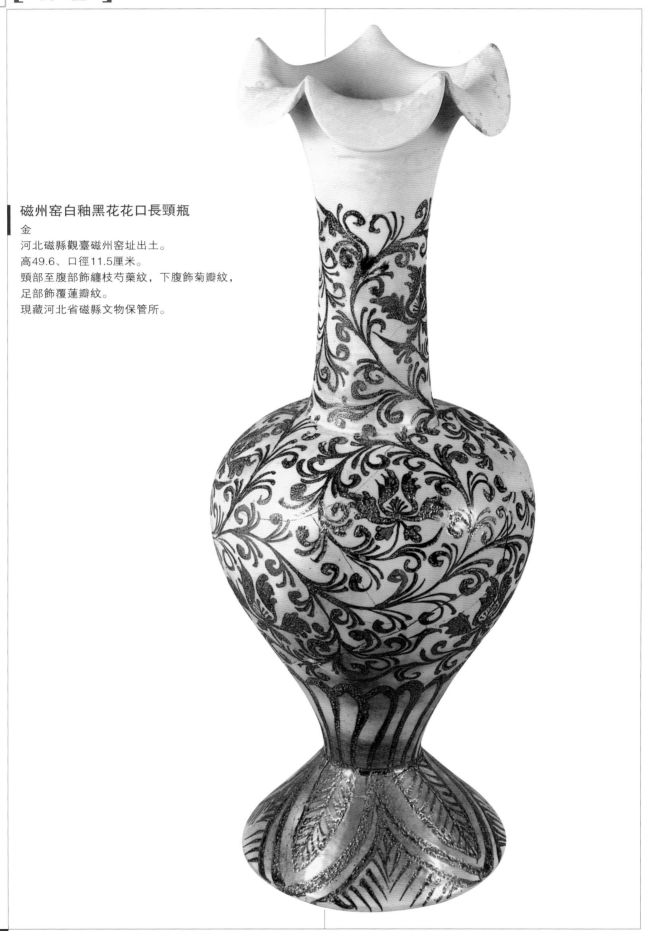

磁州窑白釉黑花牡丹紋瓶

金

高38.3厘米。

瓶身满绘折枝牡丹纹。

現藏上海博物館。

磁州窑白釉黑花芍藥紋瓶

金

河北磁縣觀臺磁州窑址出土。

高31.8厘米。

腹部飾纏枝芍藥紋。

現藏河北省磁縣文物保管所。

磁州窯白釉黑花牡丹紋梅瓶

金

河北獻縣出土。

高54、口徑4.5厘米。

口沿下繪一周覆蓮紋，上腹部兩弦紋間繪六朵纏枝牡
丹，下腹部繪蘆雁紋。

現藏河北省博物館。

磁州窯白地黑花猴鹿紋瓶

金

高42.7、口徑8.3厘米。

瓶身一面繪蘆雁紋，另一面繪猴鹿紋。

現藏故宮博物院。

磁州窯白釉黑花綫剔龍紋盆

金

河北磁縣觀臺磁州窯址出土。

高22、口徑69厘米。

盆底剔刻一條團龍和一顆寶珠，
內壁飾兩條前後環繞的游龍
和兩顆火焰寶珠。

現藏河北省磁縣文
物保管所。

磁州窯白釉黑花綫剔龍紋盆內底

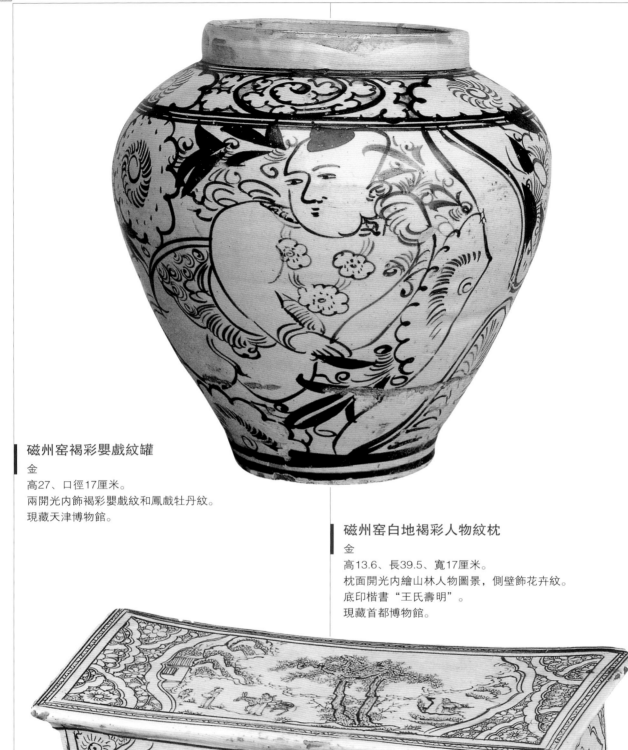

磁州窯褐彩嬰戲紋罐
金
高27、口徑17厘米。
兩開光內飾褐彩嬰戲紋和鳳戲牡丹紋。
現藏天津博物館。

磁州窯白地褐彩人物紋枕
金
高13.6、長39.5、寬17厘米。
枕面開光內繪山林人物圖景，側壁飾花卉紋。
底印楷書"王氏壽明"。
現藏首都博物館。

磁州窯白釉黑花相如題橋圖枕

金

河北磁縣南來村西港古墓出土。

高17、面長44、寬19厘米。

枕作不規則長方體狀。枕面開光內繪司馬相如橋頭題
詩，兩側面開光內分別繪麒麟戲珠和猛虎圖。

現藏河北省磁縣文物保管所。

磁州窯白釉黑花神仙故事圖枕

金

河北邯鄲市峰峰礦區出土。

高15、面長40、寬16.5厘米。

枕面開光內繪神仙故事圖，四壁開光內繪花卉紋。

現藏河北省邯鄲市博物館。

磁州窯白釉黑花臥虎望月圖枕

金

河北磁縣觀臺鎮出土。

高12.9、面長32、寬10.4厘米。

枕面開光內繪臥虎望月，前側面開光內繪墨竹。後側面開光內繪折枝牡丹。

現藏河北省邯鄲市博物館。

磁州窯白釉黑花海獸銜魚橢圓枕

金

河北大名縣出土。

高13、長32.3、寬24.5厘米。

枕作橢圓狀，枕面繪海獸銜魚圖，側面繪捲草紋。器底有“大定伍年四月十三日買到枕子一個堅考至記□”墨書題記，大定五年爲公元1165年。

現藏河北省邯鄲市文物保護研究所。

磁州窑白釉剔花牡丹纹枕
金
高16.5、長32厘米。
枕面中間刻折枝牡丹紋，花瓣及葉片剔劃筋脉。
側面飾淺印花纏枝花紋。
現藏山西博物院。

磁州窑白釉褐彩卧童枕
金
高10、長26厘米。
枕爲童子側卧狀，懷抱書卷。
現藏廣東省民間工藝博物館。

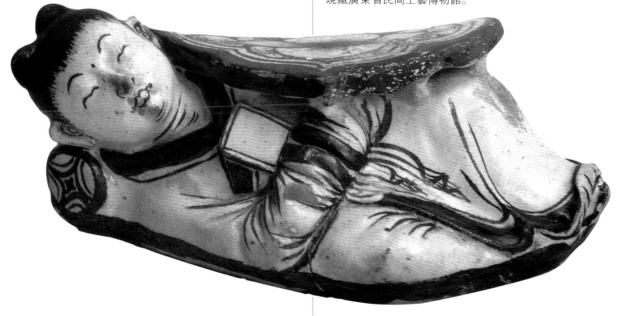

磁州窑白釉黑花虎形枕

金

高12.8、長39.6厘米。

枕身呈卧虎形。枕面白地，繪黑彩花鳥紋。器底有"大定二年六月廿六日張家"墨書題記，大定二年爲公元1162年。

現藏上海博物館。

磁州窑黄褐釉虎形枕

金

高10.5、長34厘米。

虎身施黄褐色釉，褐彩繪虎斑紋，枕面上繪蘆雁圖。

現藏河北省博物館。

磁州窯綠釉黑花牡丹紋瓶

金

河北磁縣觀臺磁州窯址出土。

高25.6、口徑10、底徑9.1厘米。

口沿下飾一周團花，腹部前後各繪剔
大葉折枝牡丹一株。

現藏河北省磁縣文物保管所。

鈞窯天藍釉板沿盤

金

高7.6、口徑31.1厘米。

通體施天藍色釉，布滿冰裂紋，有醬色暈斑。

現藏天津博物館。

鈞窰天藍釉紅斑碗

金

高4.9、口徑13.4厘米。

施天藍色釉，足底露胎，飾深紅色彩斑。

現藏河北省博物館。

鈞窰天藍釉八角龍首把杯

金

高5.1、口徑8.2-10.3厘米。

施天藍色釉，口沿處釉薄，呈淡黃的橄欖色。

有一環狀把手，上有一龍首飾物。

現藏上海博物館。

登封窯白釉珍珠地劃花四繫瓶（右圖）

金

高27厘米。

頸部置四繫。腹部飾纏枝花卉，上下分別飾捲草紋和仰蓮瓣紋。

現藏廣東省民間工藝博物館。

白釉瓜棱壺

金

山西大同市徐龜墓出土。

高23、口徑6.7厘米。

壺有蓋，肩部置一細長流及曲柄，瓜棱形圓鼓腹，圈足。

現藏山西省大同市博物館。

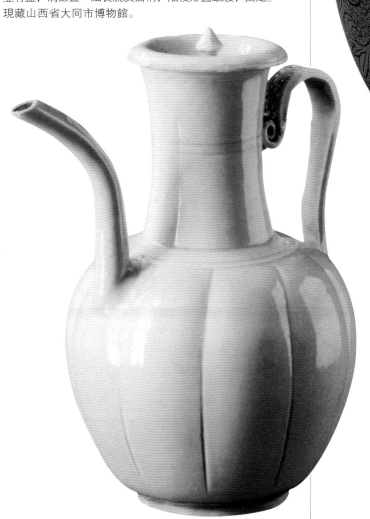

511

青釉葫蘆式執壺

金

北京豐臺區烏古倫元忠夫婦墓出土。

高28.3厘米。

葫蘆狀壺身，腹部塑一長流及彎曲柄，柄上有一鋬。

此墓墓主人葬于大定二十四年（公元1184年）。

現藏首都博物館。

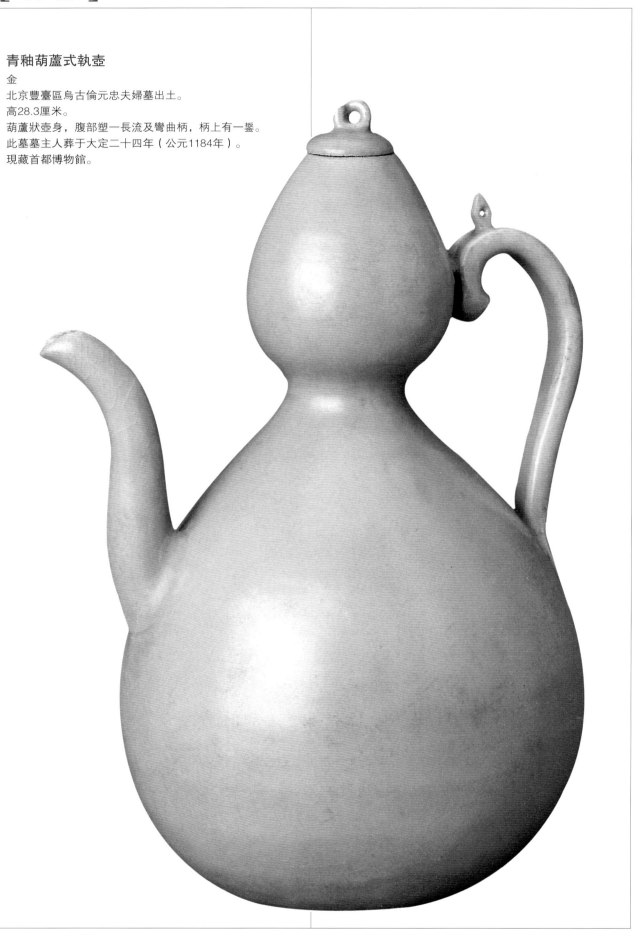

青釉雕錢紋注壺

金

高13、口徑4厘米。

壺有一小蓋。口下、肩及腹底部分別飾弦紋兩道、三道
和一道。肩部刻覆蓮瓣紋，腹部刻錢紋。

現藏故宮博物院。

青釉膽式瓶（右圖）

金

北京懷柔區北房金墓出土。

高29.2厘米。

口微敞，細長頸。通體滿施青綠色釉，開細碎紋片。

現藏首都博物館。

褐黃釉竹紋瓶（右圖）

金

高29.6厘米。

腹部繪竹枝和竹葉。

現藏故宮博物院。

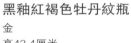

黑釉紅褐色牡丹紋瓶

金

高43.4厘米。

通體施黑釉，腹部繪牡丹紋。

現藏日本東京國立博物館。

黑釉剔花梅瓶

金

高34.4厘米。

腹部剔花飾捲草紋、蓮瓣紋和弦紋。

現藏廣東省博物館。

黑釉劃花玉壺春瓶

金

高21.5、口徑7厘米。

腹中部無釉，其上劃刻兩組水波紋。

現藏故宮博物院。

黑釉剔花小口瓶

金

山西天鎮縣出土。

高24、口徑4.3厘米。

肩部飾菊瓣紋，腹部飾折枝花葉紋四組。

瓶底墨書"郭舍住店"四字。

現藏故宮博物院。

黑釉刻花紋罐

金

高17、口徑9.8厘米。

由肩至腹刻三層花紋，間以弦紋，肩兩層

刻劃捲草紋，腹部飾團菊和蓮瓣紋。

現藏山西省大同市博物館。

黑釉刻花紋罐

金

高22.6厘米。

肩部飾刻捲草紋，肩與腹以弦紋相隔，腹部飾蓮花紋。

現藏山西博物院。

黑釉胡人馴獅紋枕

金

高13.4、長24.5、寬17.5厘米。

枕面爲朵雲狀，上飾花草紋。枕前壁爲胡人牽繩套獅頭，奮力拉拽。

現藏首都博物館。

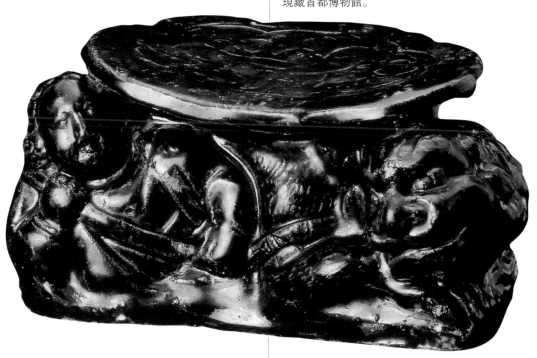

官窯弦紋瓶
南宋
高33.1、口徑9.8厘米。
頸部和腹部各起凸弦紋三道。
釉面開大紋片。
現藏故宮博物院。

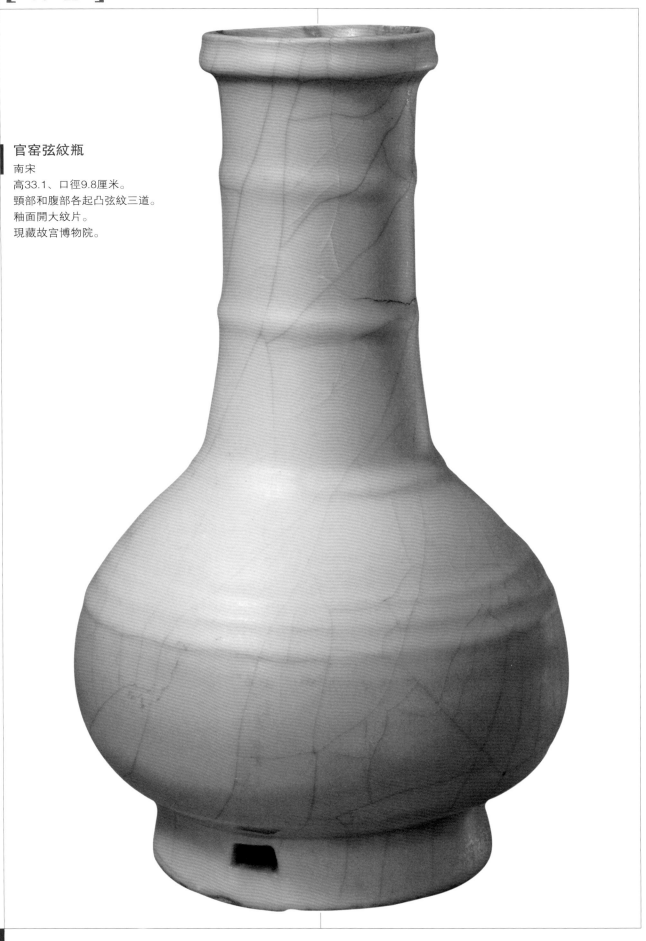

官窯八棱瓶（右圖）

南宋

高21厘米。

頸部起兩道凸弦紋，八棱形腹，圈足。

現藏日本大阪市立東洋陶瓷美術館。

官窯瓜棱直口瓶

南宋

高13.2、口徑3.2厘米。

瓜棱形腹，圈足。釉面開細碎紋片。

現藏故宮博物院。

官窯貫耳扁瓶

南宋

高23、口徑6.4-9.4厘米。

扁圓腹，頸部有二筒形耳，高圈足，足兩側有圓孔。

頸部起兩道凸弦紋。

現藏故宮博物院。

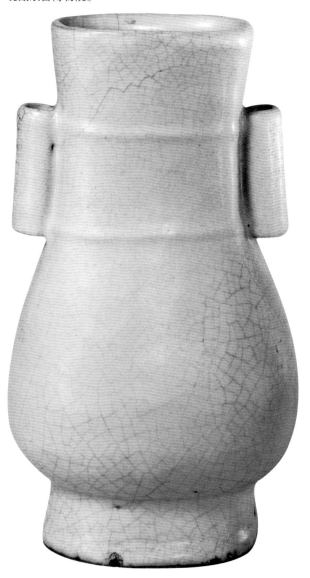

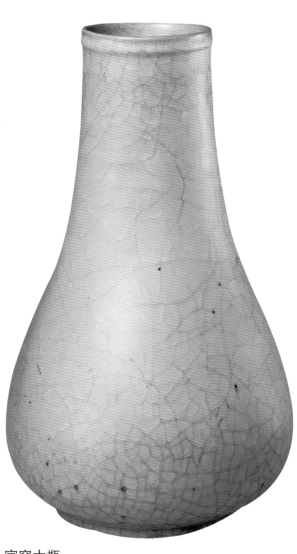

官窯大瓶

南宋

高34.5、口徑9.9厘米。

口部有一道弦紋，器身開大片紋，口沿及底部開片較細。

現藏故宮博物院。

官窰花口壺

南宋
浙江杭州市烏龜山南宋官窰窰址出土。
高25.5、口徑11.8厘米。
壺呈六瓣花形，肩部飾對稱鋪首銜環。
釉面有不均勻開片。
現藏浙江省杭州南宋官窰博物館。

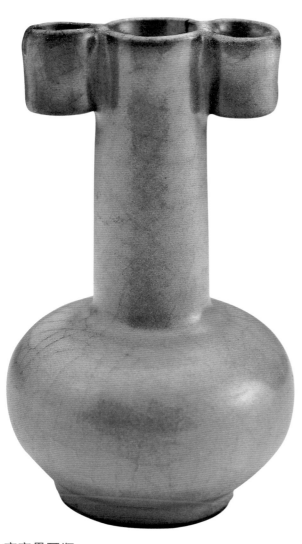

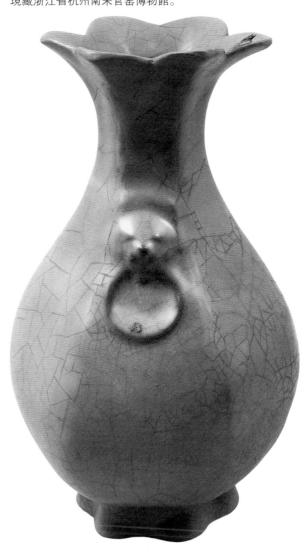

官窰貫耳瓶

南宋
上海青浦區任氏墓出土。
高12.8、口徑3.2厘米。
此瓶仿古代青銅器造型，頸旁飾二筒形貫耳。
釉面開冰裂狀細小紋片。
現藏上海博物館。

官窰葵瓣碗

南宋

高7.9、口徑19.4厘米。

口呈六花瓣形。碗底部有清乾隆皇帝御題詩。

現藏故宮博物院。

官窰圓洗

南宋

高6.4、口徑22.6厘米。

洗內坦平，矮圈足，足底邊無釉。器底有清乾隆皇帝御題詩。

現藏故宮博物院。

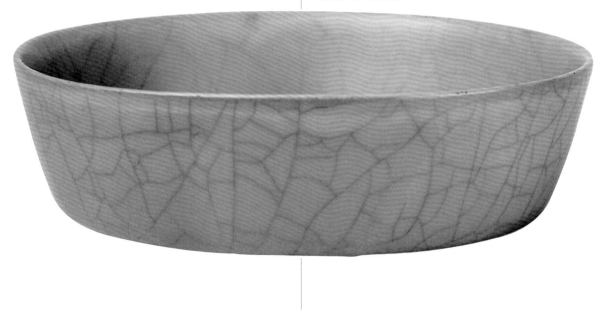

官窰龍紋洗

南宋

高5.6、口徑9.5厘米。

內底刻劃一條蒼龍，在高光下方能顯現。

現藏天津博物館。

官窰折沿洗

南宋

高6.1、口徑21厘米。

折沿，口沿鑲包銅口。矮圈足，底爲米黃色釉。

現藏故宮博物院。

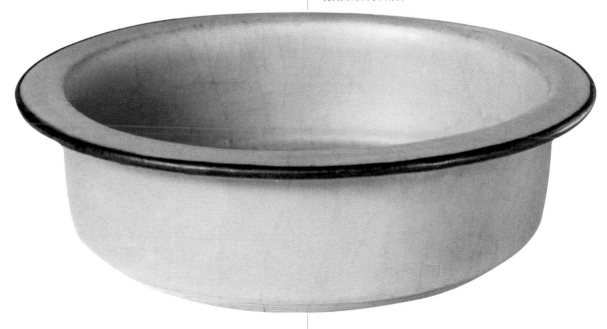

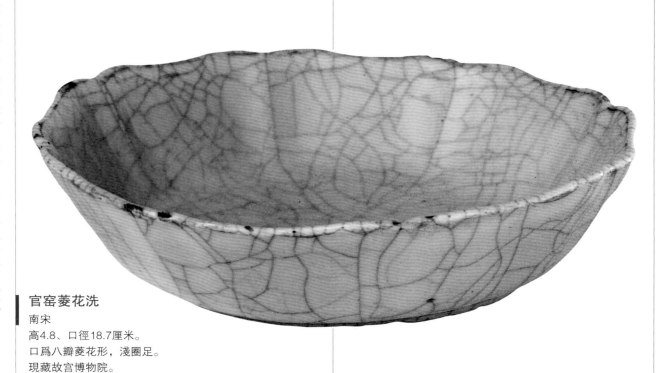

官窑菱花洗

南宋

高4.8、口徑18.7厘米。

口爲八瓣菱花形，淺圈足。

現藏故宮博物院。

官窑雙耳爐

南宋

上海青浦區重固鎮出土。

高8.4、口徑11厘米。

腹部有對稱雙耳，圈足。

現藏上海博物館。

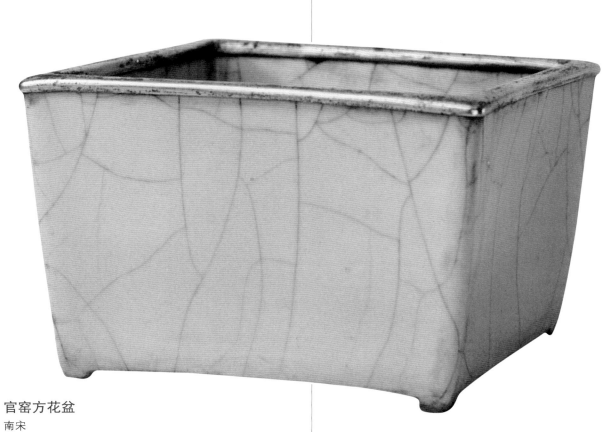

官窑方花盆

南宋

高9、口邊長15厘米。

口沿鑲金銅，底有鑽孔，下有四淺足。

現藏故宮博物院。

官窑盞托

南宋

高5.7、口徑8.1厘米。

盞托口微斂，邊沿寬大，圈足。

現藏故宮博物院。

哥窯弦紋瓶

南宋

高20.1、口徑6.4厘米。

頸部及肩部起四道凸弦紋。通體施米色釉，
開黑色和米色紋片，即金絲鐵綫。
現藏故宮博物院。

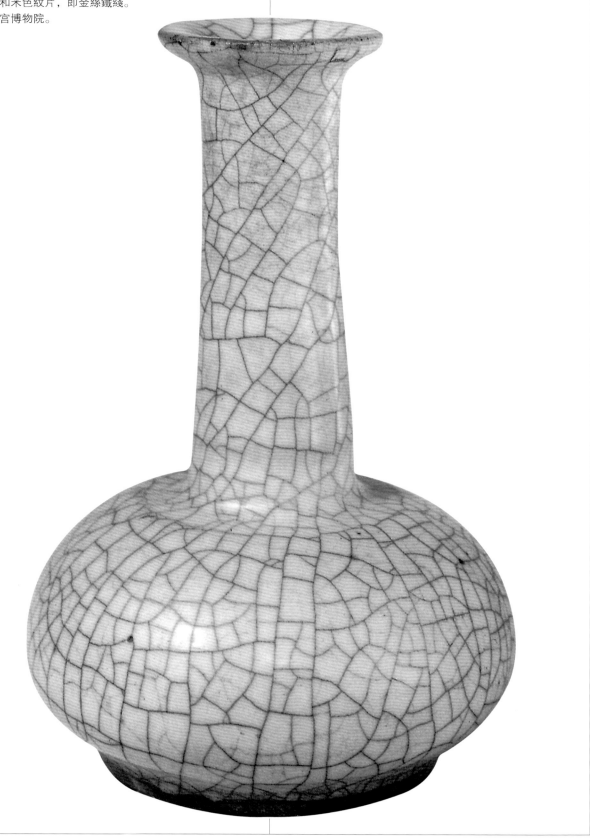

哥窰膽瓶

南宋

高14.2、口徑2.2厘米。

膽瓶通體施米色釉，足底一周無釉呈黑色，器身開黑色和米色紋片。

現藏故宮博物院。

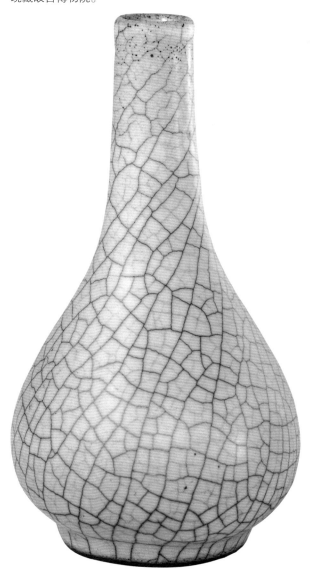

哥窰貫耳長頸瓶

南宋

高11.3、口徑2.5厘米。

口沿兩側對貼二圓形貫耳，與瓶口齊平，耳中空。

現藏故宮博物院。

哥窑貫耳八棱瓶

南宋

高14.8、口徑4.5厘米。

器呈八棱，雙貫耳貼于頸部兩側。

現藏故宮博物院。

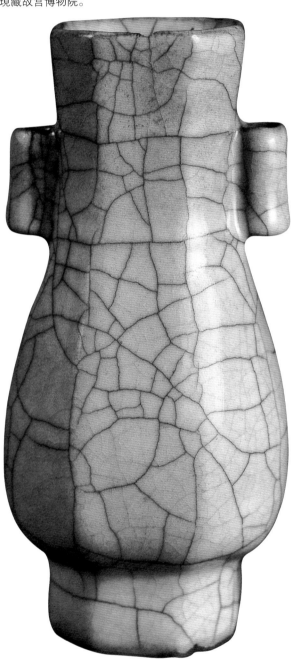

哥窑貫耳八方扁瓶

南宋

高24.1、口徑7.1－9.8厘米。

口爲八方形，頸部兩側各有一圓形貫耳，耳中空。八方形圈足，足兩側各有一圓孔。頸部凸起兩道弦紋。

現藏故宮博物院。

哥窑雙耳三足爐

南宋

高12.5、口徑13厘米。

口沿有對稱雙耳，腹下有三柱形足。底部有六個支釘痕。

現藏故宮博物院。

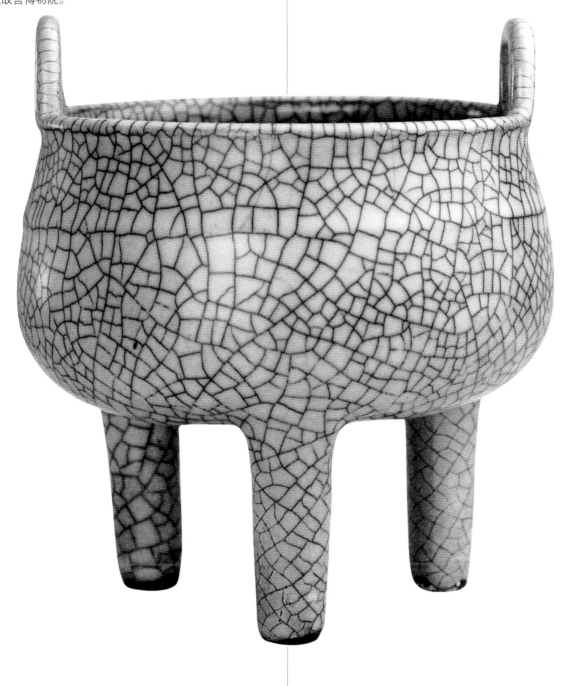

哥窑雙魚耳爐

南宋

高8.8、口徑11.9厘米。

腹兩側各有一魚形耳，圈足。通體有開片。

現藏中國國家博物館。

哥窑葵瓣口碗

南宋

口徑20厘米。

碗口作六葵瓣形，通體有開片。

現藏上海博物館。

哥窯菱花洗

南宋

高3.3、口徑11.7厘米。

口呈六瓣菱花形，平底。通體有開片。

現藏故宮博物院。

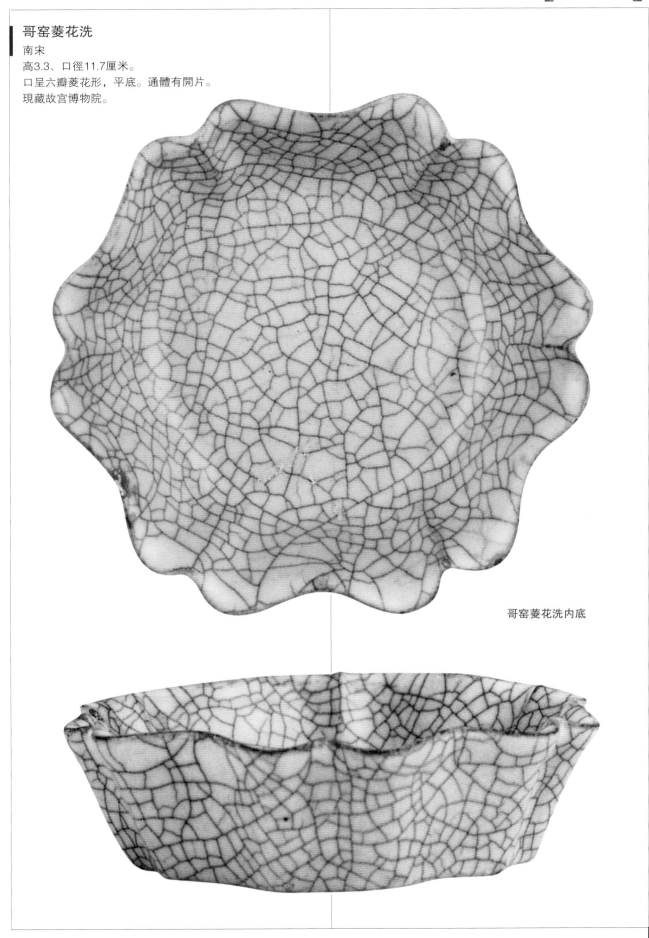

哥窯菱花洗內底

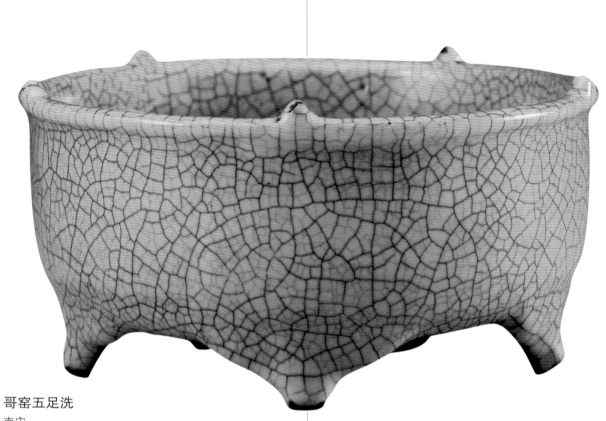

哥窯五足洗

南宋

高9.2、口徑18.8厘米。

口沿飾五枚乳釘，平底，矮圈足不着地，有五個如意形扁足。通體有開片。

現藏上海博物館。

哥窯菊瓣盤

南宋

高4.1、口徑16厘米。

盤作十四瓣菊花形，盤壁向內出棱，圈足。盤身布滿開片。

現藏故宮博物院。

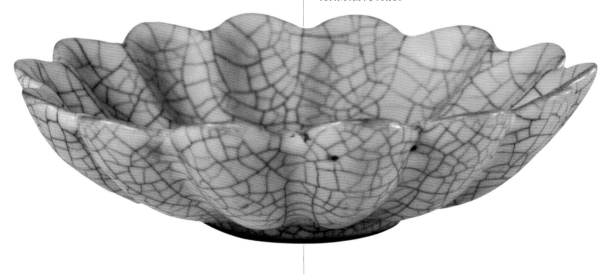

龍泉窯貫耳瓶

南宋

四川遂寧市金魚村窖藏出土。

高31.1厘米。

小口，細長頸，頸上部飾對稱貫耳，球腹，圈足。

現藏四川省遂寧市博物館。

龍泉窯貫耳瓶

南宋

高31.5、口徑10厘米。

頸部飾凸弦紋四圈，腹部飾凹弦紋兩道。

現藏故宮博物院。

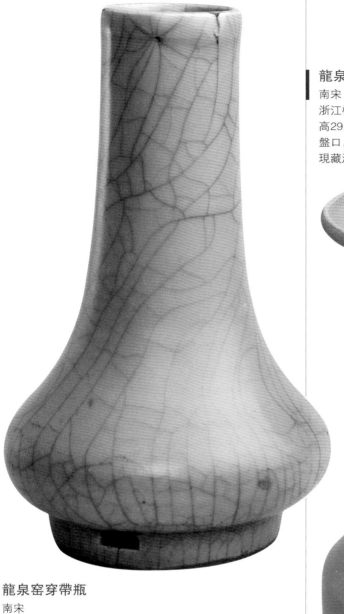

龍泉窑長頸瓶

南宋

浙江松陽縣古市出土。

高29.6、口徑12.4厘米。

盤口，細長頸，筒腹。

現藏浙江省龍泉市博物館。

龍泉窑穿帶瓶

南宋

高22.1、口徑6厘米。

長頸，腹部扁圓，足兩側有對稱長方形孔。通體有開片。

現藏故宮博物院。

龍泉窯長頸瓶

南宋

浙江德清縣乾元山東坡北吳奧墓出土。

高14.9、口徑6.4厘米。

瓶頸部和腹部飾數道弦紋，釉面有細開片。

現藏浙江省德清縣博物館。

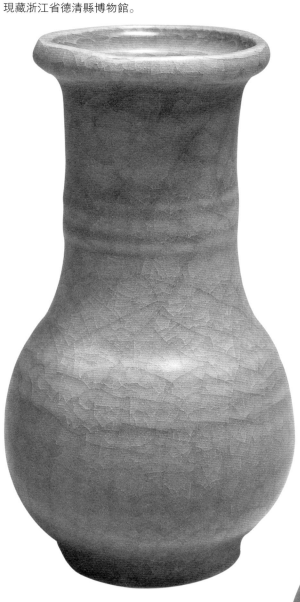

龍泉窯青釉直頸瓶

南宋

浙江龍泉市城南區查田鄉溪口窯址出土。

高13.6、口徑5.7厘米。

粗長頸，鼓腹，圈足。通體呈冰裂紋。

現藏浙江省龍泉市博物館。

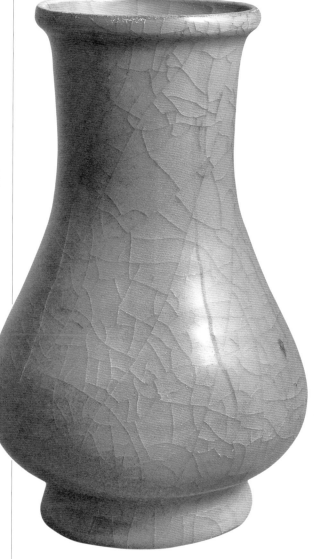

龍泉窰鳳首耳瓶

南宋

浙江杭州市古蕩出土。

高17、口徑6.6厘米。

頸部置對稱鳳首耳。

現藏浙江省杭州市文物研究所。

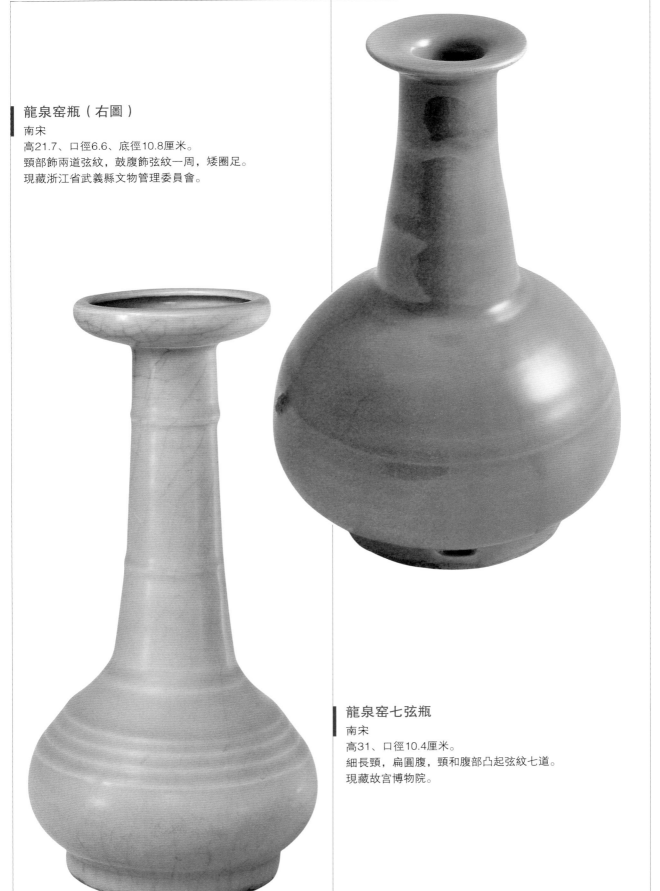

龍泉窰瓶（右圖）

南宋

高21.7、口徑6.6、底徑10.8厘米。

頸部飾兩道弦紋，鼓腹飾弦紋一周，矮圈足。

現藏浙江省武義縣文物管理委員會。

龍泉窰七弦瓶

南宋

高31、口徑10.4厘米。

細長頸，扁圓腹，頸和腹部凸起弦紋七道。

現藏故宮博物院。

龍泉窰牡丹紋環耳瓶

南宋

高27.3、口徑12.2厘米。

頸部置對稱雙環耳。腹部飾牡丹紋。

現藏日本東京出光美術館。

龍泉窰海棠式瓶

南宋

四川遂寧市金魚村窖藏出土。

高16.2厘米。

通體呈海棠花瓣形，腹有瓜棱形竪紋。

現藏四川省遂寧市博物館。

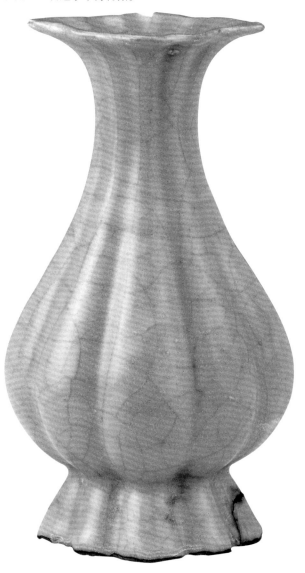

龍泉窯刻花雙繫瓶

南宋
高17.5、口徑5.7厘米。
瓶身以豎凸綫分爲六部分，每部分均飾刻花折枝牡丹花。
現藏故宮博物院。

龍泉窯琮式瓶

南宋
四川遂寧市金魚村窖藏出土。
高27、直徑8厘米。
仿玉琮造型。瓶身四面有凸起的橫條紋。
現藏四川省遂寧市博物館。

龍泉窯瓜棱水注

南宋

浙江龍泉市竹墻鄉揚抗村出土。

高16.5厘米。

瓜棱形腹，上腹部置長流和曲柄，壺身飾刻花草紋。

現藏浙江省龍泉市博物館。

龍泉窯瓜棱小壺

南宋

高5.3厘米。

瓜棱狀腹，腹部一側塑短流，對側塑曲柄，圈足。

現藏浙江省龍泉市博物館。

龍泉窯鼓釘三足洗

南宋

高6.8、口徑17.8厘米。

斂口，圓腹，下接三獸頭足。器身凸起二周鼓釘。

現藏故宮博物院。

龍泉窑三足爐

南宋

高9.6、口徑12.1厘米。

腹至足間凸起三道棱綫。

現藏故宫博物院。

龍泉窑八卦紋獸足爐

南宋

四川遂寧市金魚村窖藏出土。

高7.2、口徑7.4厘米。

口沿上塑兩橋形繫，其一殘缺。

腹部飾八卦紋，下承三獸足。

現藏四川省遂寧市博物館。

龍泉窑弦紋三足爐

南宋

高9.3、口徑14.5厘米。

器身飾四道弦紋。下有三足。

現藏故宮博物院。

龍泉窯纏枝花卉紋三足爐

南宋

四川遂寧市人民醫院工地窖藏出土。

高9.4、口徑13.5厘米。

器身飾纏枝菊花紋，下接三矮獸足。

現藏四川省遂寧市博物館。

龍泉窯魚耳爐

南宋

浙江湖州市下昂鄉石泉鎮出土。

高8.5、口徑6.3厘米。

腹部兩側有對稱魚狀耳。

現藏浙江省湖州市博物館。

龍泉窯蓮瓣紋碗
南宋
浙江衢州市史繩祖墓出土。
高7.8、口徑15.4厘米。
外壁剔刻蓮瓣紋。
現藏浙江省衢州市博物館。

龍泉窯斂口鉢
南宋
浙江龍泉市大窯出土。
高6.2、口徑13.3厘米。
斂口，腹外壁飾雙層仰蓮紋。
現藏浙江省博物館。

龍泉窰龍紋盤

南宋

高7.3、口徑37.3厘米。

盤底貼塑兩條翼龍，外壁刻菊瓣紋。

現藏首都博物館。

龍泉窰龍紋盤內底

龍泉窰刻花花口碟

南宋

高3、口徑15.5厘米。

碟心爲六瓣團花紋，周圍輔以大花瓣紋。

現藏故宮博物院。

龍泉窰雙魚紋洗

南宋

高6、口徑13.5厘米。

腹外壁飾蓮瓣紋，内底貼雙魚紋。

現藏故宮博物院。

龍泉窯荷葉形蓋罐

南宋

四川遂寧市金魚村窖藏出土。

高31.3、口徑23.8厘米。

蓋呈荷葉捲曲狀，上有瓜蒂形鈕。器內外施梅子青釉，
口沿、蓋內沿和圈足底部無釉。

現藏四川省遂寧市博物館。

龍泉窯觚
南宋
高12、口徑9.7厘米。
器爲喇叭口，扁球形腹。
現藏故宮博物院。

龍泉窯弦紋蓋罐
南宋
浙江松陽縣西屛鎮南宋墓出土。
高28厘米。
短頸，細長腹，矮圈足，蓋和罐身飾弦紋。
現藏浙江省松陽縣博物館。

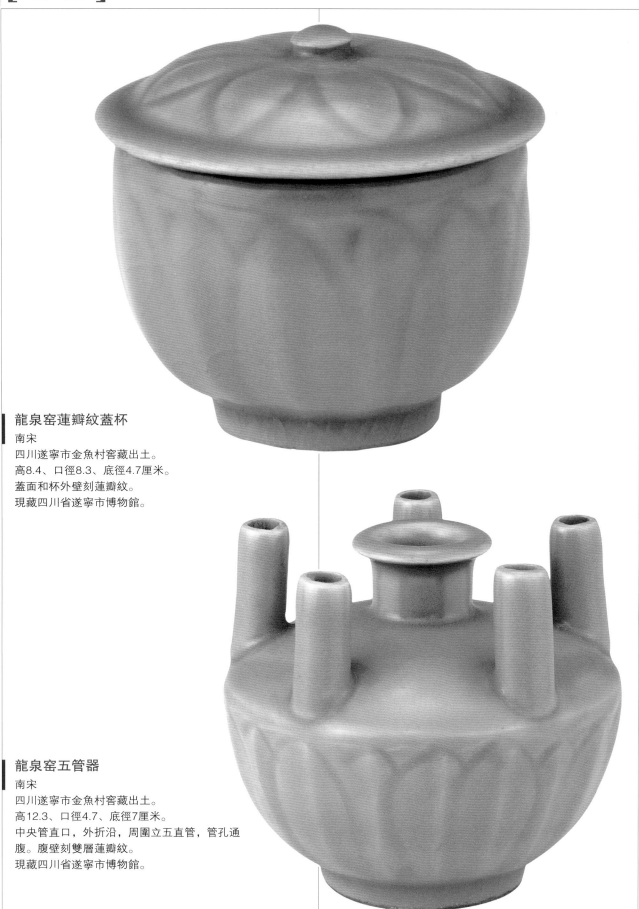

龍泉窑蓮瓣紋蓋杯

南宋

四川遂寧市金魚村窖藏出土。

高8.4、口徑8.3、底徑4.7厘米。

蓋面和杯外壁刻蓮瓣紋。

現藏四川省遂寧市博物館。

龍泉窑五管器

南宋

四川遂寧市金魚村窖藏出土。

高12.3、口徑4.7、底徑7厘米。

中央管直口，外折沿，周圍立五直管，管孔通腹。腹壁刻雙層蓮瓣紋。

現藏四川省遂寧市博物館。

龍泉窰五管瓶

南宋

高30、口徑7.2厘米。

肩部置五孔，花瓣形鈕蓋。器身上下分別飾覆、仰蓮紋，如意雲頭紋和綱格紋等。

現藏故宮博物院。

龍泉窰五管瓶

南宋

高24.5、口徑9.5厘米。

肩部有五孔，孔爲花形口。犬形鈕蓋。腹部刻纏枝牡丹紋，近底處飾仰蓮瓣紋。

現藏故宮博物院。

龍泉窯堆塑蟠龍瓶

南宋

高22.6、口徑6.5厘米。
瓶蓋上飾臥犬鈕，頸部堆塑
蟠龍，下腹部刻劃蓮瓣紋。
現藏上海博物館。